ORAÇÃO DA NOITE

TRADUÇÃO
GUILHERME CORDEIRO PIRES

TISH H. WARREN

ORAÇÃO DA NOITE

PARA QUEM TRABALHA, VIGIA E CHORA

Publicado originalmente em inglês por InterVarsity Press como *Prayer in the night: for those who work, or watch, or weep* por Tish Harrison Warren. © 2021 por Tish Harrison Warren. Traduzido e publicado com permissão da InterVarsity Press, sediada em 1400, Downers Grove, IL, EUA.

Copyright da tradução © Pilgrim Serviços e Aplicações LTDA., 2020. Todos os direitos reservados.

Todas as citações bíblicas foram extraídas da Versão *Almeida Século 21* (A21), salvo indicação em contrário.

Os pontos de vista dessa obra são de responsabilidade dos autores e colaboradores diretos, não refletindo necessariamente a posição da Pilgrim Serviços e Aplicações, da Thomas Nelson Brasil ou de suas equipes editoriais.

Embora as histórias deste livro sejam verídicas, alguns nomes e características pessoais podem ter sido alterados para proteger a privacidade de certos indivíduos.

Tradução: *Guilherme Cordeiro Pires*
Revisão: *Arthur Guanaes*
Preparação: *Sara Faustino*
Capa e projeto gráfico: *Paula Eduarda Rolo e Ana Salomão*
Diagramação: *Marcos Jundurian*

Dados Internacionais de Catalogação na Publicação (CIP)
(BENITEZ Catalogação Ass. Editorial, MS, Brasil)

W254o
    Warren, Tish
       Oração da noite: para quem trabalha, vigia ou chora / Tish Warren; tradução de Guilherme Cordeiro Pires. — 1.ed. — Rio de Janeiro: Thomas Nelson Brasil; São Paulo: Pilgrim, 2021.
       256 p. ; 13,5 x 20,8 cm.

       Tradução de: *Prayer in the night*
       ISBN: 978-65-56891-98-9

       1. Espiritualidade. 2. Fé. 3. Oração. 4. Teodiceia. 5. Teologia cristã. I. Pires, Cordeiro. II. Título.

03-2021/98   CDU 231.8

Índice para catálogo sistemático:
1. Teodiceia: Religião cristã   231.8

Bibliotecária responsável: Aline Graziele Benitez CRB-1/3129

Todos os direitos reservados a Pilgrim Serviços e Aplicações LTDA.
Alameda Santos, 1000, Andar 10, Sala 102-A
São Paulo — SP — CEP: 01418-100
www.thepilgrim.com.br

𝒫 Pilgrim

Transforme a sua rotina hoje!

Seu dia a dia pode ser muito mais edificante. A caminho do trabalho, enquanto realiza as tarefas domésticas ou enfrenta fila no banco: **seja sempre cheio do conhecimento de Deus!**

Na Pilgrim você encontra mais de 6.000 **audiobooks, e-books, cursos e artigos** para acessar em qualquer lugar.

Começe agora!

Para Raine, Flannery e Augustine
Que Deus possa velar vocês em cada noite escura
e ensiná-los, dia a dia,
que tudo é por amor.

Vela, ó Senhor amado, com os que trabalham, vigiam ou choram nesta noite. Manda que teus anjos guardem os que dormem. Cuida dos enfermos, Cristo Senhor. Dá repouso aos cansados. Abençoa os que estão à beira da morte. Consola os que sofrem. Compadece-te dos aflitos. Defende os alegres. Tudo isto te suplicamos somente por teu grande amor. Amém.

Livro de Oração Comum

SUMÁRIO

Nota da autora 13

Parte 1 ✦ Orando no escuro

Prólogo 17

1. Encontrando as completas 25
   O cair da noite

2. Vela, ó Senhor amado 39
   Dor e presença

Parte 2 ✦ O caminho da vulnerabilidade

3. Os que choram 57
   Lamento

4. Os que vigiam 77
   Atenção

5. Os que trabalham 91
   Restauração

Parte 3 ✦ Uma taxonomia de vulnerabilidades

6. Manda que teus anjos guardem os que dormem ... 109
   Cosmos e lugar comum

7. Cuida dos enfermos, Cristo Senhor...................... 125
   Corporeidade
8. Dá repouso aos cansados.................................. 139
   Fraqueza e silêncio
9. Abençoa os que estão à beira da morte 151
   Cinzas
10. Consola os que sofrem.................................... 165
    Consolo
11. Compadece-te dos aflitos................................ 183
    Resolução e revelação
12. Defende os alegres 199
    Gratidão e indiferença

Parte 4 + Clímax
13. Tudo isto te suplicamos somente
    por teu grande amor................................... 213
    Alvorada

Agradecimentos... 225
Perguntas para discussão e práticas sugeridas 229
Completas 243

NOTA DA AUTORA

Estou terminando este livro no começo da Páscoa de 2020 e o envio para um mundo incerto. Uma pandemia se alastrou pelo mundo, as taxas de mortalidade aumentam e boa parte do Estados Unidos está precisando ficar em casa. Eu escolhi não abordar especificamente a pandemia neste livro. Quando terminei o manuscrito, não existia a COVID-19. Quando este livro for publicado, qualquer leitor saberá bem mais sobre a COVID-19 e os seus efeitos no mundo do que eu, neste momento. O que é preciso agora é a lenta obra da sabedoria e eu estou perto demais do surgimento desta tragédia para oferecê-la com os detalhes necessários.

Embora eu não saiba o que está porvir, eu sei que, não importando o que nos espere nesta catástrofe específica, não será a última. Encontraremos outros desastres naturais e calamidades globais. E haverá sofrimentos devastadores, ainda que mais comuns, que cada leitor trará a estas páginas: histórias pessoais de dor, vulnerabilidades, ansiedades e lutos que continuarão muito depois de esta crise se encerrar.

Por isso publico este livro orando que ele traga verdade e luz, fazendo a obra que recebeu para fazer.

PARTE 1

ORANDO
NO ESCURO

A escuridão — a noite — sempre foi um símbolo da falta
de Deus no mundo [...] e da perdição de homens
e mulheres. Na escuridão, nada vemos
e não sabemos mais quem somos.

JÜRGEN MOLTMANN, *In the End — The Beginning*

Compreender o bem e o mal acontece [...] em medos
noturnos, quando somos pequenos, no temor
das garras da besta e no terror de quartos escuros.

CZESLAW MILOSZ, *One More Day*

PRÓLOGO

No meio da noite, coberta de sangue, num pronto socorro, eu orava.

Tínhamos nos mudado para Pittsburgh há menos de um mês. Em meio a noites frígidas e à lama cinzenta que a neve se tornara, eu tive um aborto espontâneo.

Mais cedo naquela noite, tínhamos sido convidados para jantar na casa de novos conhecidos. A filha deles ia na mesma escola que a nossa. Eu já estava sofrendo há dois dias do aborto espontâneo, mas o meu médico tinha dito para continuarmos normalmente a nossa semana, e foi o que fizemos. Enquanto meu marido Jonathan suportava aquela conversinha estranha que se tem com (quase) estranhos, minhas contrações começaram. Eu sentia que não conseguia respirar. Pedi para ir para o pronto atendimento. Eu estava tentando ser descolada e tranquila — não era o pronto-socorro, era o pronto atendimento, onde as pessoas vão quando precisam de uns pontos, nada demais.

Jonathan começou a explicar aos nossos anfitriões que precisaríamos sair mais cedo porque, embora não tivéssemos mencionado por conta da etiqueta do jantar, eu estava passando por um aborto espontâneo e, embora fosse para eu sangrar lentamente por uma semana, agora o sangramento estava rápido e doloroso. Eu continuei me desculpando para nossos anfitriões — já que eu nasci no sul dos Estados Unidos, a minha primeira reação em situações sociais esquisitas é me desculpar. Então, de repente, começou a jorrar sangue. Jorrar. Era como se eu tivesse levado um tiro.

Os nossos anfitriões jogaram duas toalhas para o meu marido, as quais ele amarrou em mim enquanto eu cambaleava em direção ao carro, gritando: "Onde é o hospital?" Sem nos despedirmos deixamos nossos filhos brincando no segundo andar, com aquelas pessoas que nem lembrávamos o sobrenome direito.

Estava escuro. Passamos pelas luzes borradas da cidade e por estudantes universitários radiantes a caminho de bares. Indo para o hospital, eu senti a minha força indo embora. O sangue rapidamente encharcou as tolhas e Jonathan orava em pânico: "Ajuda ela! Respira, meu bem. Ah, Senhor..." Ele passou por semáforos fechados. Ele pensava que eu ia morrer.

Mas chegamos ao hospital. Tudo ficaria bem comigo, mas eu precisava de uma cirurgia.

A sala estava cheia de enfermeiras, todas comentando sobre como tinha mais sangue do que o normal — o que poderia ser incômodo, mas elas estavam tão calmas, e até um pouco fascinadas, como se vissem um trabalho bem-feito na feira de ciências da escola. Elas me colocaram numa fila para receber transfusão de sangue e me disseram para esperar. Então, eu gritei para o Jonathan, perdida em meio às enfermeiras: "As completas! Eu quero orar as completas."

Não era comum — nem mesmo para mim — gritar exigindo orações litúrgicas numa sala lotada no meio de uma crise. Contudo, era o que precisava naquele momento, tanto quanto eu precisava daquele procedimento médico.

PRÓLOGO

Aliviado de receber uma ordem direta, Jonathan abriu o Livro de Oração Comum* no seu celular e avisou as enfermeiras:

— Nós dois somos pastores e vamos orar agora — e então ele começou. — O Senhor Onipotente nos conceda uma noite tranquila e a paz na derradeira hora.

Ouvindo o bipe do monitor de sinais vitais, oramos todo este ofício com orações para a noite. Eu repeti as palavras de cor enquanto ondas de sangue fluíam de mim a cada contração.

— Guarda-nos, Senhor, como a menina dos teus olhos.

— Protege-nos à sombra de tuas asas.

— Senhor, tem piedade de nós. Cristo, tem piedade de nós. Senhor, tem piedade de nós.

— Defende-nos de todos os perigos e ciladas desta noite. Terminamos:

— O Senhor misericordioso, Pai, Filho, e Espírito Santo, nos abençoe e nos guarde. Amém.

— Que bonito! — uma das enfermeiras disse. — Nunca tinha ouvido isso antes.

✦ ✦ ✦

Por que eu, de repente, queria desesperadamente orar as completas debaixo das luzes fluorescentes de uma sala daquele hospital?

---

* Nota do Tradutor (N. T.): com exceção da principal oração utilizada como base para este livro, a qual foi traduzida diretamente do ofício de completas (ver Apêndice) da edição de 2019 publicada pela Anglican Church in North America (ACNA), as citações do Livro de Oração Comum, a não ser que de outra forma indicadas no texto, seguirão a seguinte edição: IGREJA ANGLICANA NO BRASIL. *Livro de Oração Comum Brasileiro*: administração dos sacramentos e outros ritos e cerimônias conforme Diocese do Recife - Comunhão Anglicana sob autoridade primacial da Igreja Anglicana do Cone Sul da América. Recife: Igreja Anglicana no Brasil, 2008.

Porque eu queria orar, mas não achava as palavras.

Não é que "Socorro! Faz o sangue parar!" não fosse santo ou sofisticado o suficiente. Eu estava numa camisola de hospital da grossura de uma folha de papel e encharcada de sangue. Não era hora de formalidades. Eu queria cura, mas precisava mais do que cura. Eu precisava contextualizar esta crise em algo maior: as orações da igreja, sim, porém mais profundo, o grande mistério de Deus, a firmeza do poder de Deus, a segurança da bondade de Deus.

Eu tive que decidir novamente, naquele momento, quando não sabia o que aconteceria com meu bebê morto e o meu corpo despedaçado, se aquelas coisas que eu prego sobre Deus me amar e ser por mim eram verdade. Eu estava cansada até os ossos. O meu coração estava partido. Eu não podia conjurar uma fé espontânea e ardente.

A minha decisão sobre confiar em Deus não era um mero exercício cognitivo. Eu não estava tentando acertar uma pergunta numa gincana de Escola Dominical. Eu estava tentando adentrar uma verdade que era grande o suficiente para segurar a minha fragilidade, vulnerabilidade e falta de fé — uma verdade que é ao mesmo tempo inegável e definitiva. Porém, como eu, exausta de tantas lágrimas e sangue, num lugar sem palavras nem certeza, poderia alcançar essa verdade?

Nessa noite, eu me segurei na realidade da bondade e do amor de Deus ao adotar as práticas da igreja. Especificamente ao adotar a oração da liturgia das horas.

Pela maior parte da história da igreja, a oração não era entendida pelos cristãos como uma forma de autoexpressão ou uma conversa individual com o divino, mas uma forma herdada de se aproximar de Deus, um caminho para vagar pelo caudaloso rio da comunhão da igreja com ele.[1] Naquele momento no hospital, eu não estava tentando "expressar a minha fé", anunciar minha devoção hesitante para uma sala cheia de enfermeiras ocupadas. Nem estava tentando invocar — nas palavras de Richard Dawkins — minha "fada celestial" para vir me salvar.[2] Por meio da oração, eu ousava crer que Deus estava presente no meu caos e na minha dor, o que quer que acontecesse. Eu estava alcançando uma realidade maior e mais persistente do que os meus sentimentos naquele momento.

Toda oração que eu já fiz, da mais fiel à menos convicta, foi, em parte, uma confissão parecida com aquela no evangelho de Marcos: "Eu creio! Ajuda-me na minha falta de fé" (Marcos 9.24). Foi essa a minha oração enquanto eu repetia as conhecidas palavras das completas naquela noite. E, como incontáveis noites antes daquela, a igreja, em meio à minha fraqueza, respondeu com sua antiga voz: "Tome estas palavras aqui. Ore com elas. Elas são fortes o suficiente para te sustentar. Elas te ajudarão na sua falta de fé."

A fé, conforme passei a acreditar, é mais um ofício que um sentimento. E a oração é a nossa principal prática nesse ofício.

---

1 Seguindo o padrão da Escritura, emprego pronomes masculinos para Deus. Eu sei bem que alguns leitores podem se sentir desconfortáveis com a linguagem masculina para Deus. Eu sei que Deus não é masculino e que tanto homens quanto mulheres são igualmente feitos à imagem de Deus. Porém, devido às limitações da nossa língua, as duas únicas opções que temos são pronomes com gênero (ele ou ela) ou evitar qualquer tipo de pronome. Evitar pronomes pode tornar as frases sobre Deus clínicas e impessoais. Portanto, eu seguirei a tradição e a Escritura ao usar pronomes masculinos, embora eu peça a misericórdia dos leitores que têm problemas com isso.

2 DAWKINS, Richard. *The God delusion*. Nova York: Houghton Mifflin, 2008, p. 161. [Edição em português: *Deus um delírio*. São Paulo: Companhia das letras, 2006].

Isso não quer dizer que um relacionamento com Deus se conquiste pelo esforço ou que haja uma hierarquia de feitos cristãos em que uma elite se destaca pela fé, como alguns se destacam em carpintaria ou em basquete. A graça é a primeira e a última palavra da vida cristã, todos nós necessitamos desesperadamente de misericórdia e somos profundamente amados.

A fé chega como um presente. E, como qualquer artesão poderá lhe explicar, tem algo de miraculoso em exercer um ofício. Madeline L'Engle disse que qualquer boa obra de arte é maior e melhor do que o artista. Shakespeare, segundo ela, "escreveu melhor do que ele poderia escrever; Bach compôs mais profunda e verdadeiramente do que ele poderia saber; o pincel de Rembrandt aplicou mais do espírito humano na tela do que Rembrandt poderia compreender."[3] Um jardineiro não pode forçar o crescimento dos narcisos, nem o padeiro coagir a glória alquímica de fermento e açúcar. Contudo, ainda recebemos meios de graça que podemos praticar, independente de nossos sentimentos, e eles irão nos carregar. Artesãos — escritores, cervejeiros, dançarinos, oleiros — vêm e trabalham, e participam de um mistério. Eles praticam seu ofício, vez após vez, nos dias bons e ruins, esperando por um lampejo de misericórdia, uma dádiva da graça.

Nos nossos momentos mais profundos de ansiedade e trevas, entramos neste ofício da oração, às vezes trêmulos e frágeis. Na maioria das vezes, oramos não por conta de uma vitória triunfante ou de uma confiança inabalável, mas porque a oração nos molda; ela age em nós para mudar quem somos e no que cremos. Padrões de oração nos tiram de nós mesmos,

---

3   L'ENGLE, Madeleine. *Walking on water: reflections on faith and art.* Nova York: North Point Press, 2001, p. 24.

Prólogo

de nossa prisão neste instante imediato, e nos introduzem à longeva história da obra de Cristo no seu povo e por meio do seu povo ao longo do tempo.[4]

Ao orar naquela noite, eu queria acreditar no que eu proclamava: que Deus me conhecia e amava, que este momento terrível também seria redimido. Eu cria e, ao mesmo tempo, não cria. Colocar em prática este antigo ofício de oração era um ato de esperança que enfiaria um bisturi em mim, mexeria em mim como uma cirurgia e corrigiria o funcionamento do meu coração. Eu bem poderia ter dito: "Dose emergencial de completas. Agora!"

---

4   WARREN, Tish H. "By the book". *Comment*. 1º de dezembro de 2016. < https://www.cardus.ca/comment/article/by-the-book/>

1

ENCONTRANDO
AS COMPLETAS

O cair da noite

Foi um ano tenebroso em vários sentidos. Ele começou com a mudança da minha ensolarada cidade natal, Austin, Texas, para Pittsburgh no início de janeiro. Uma semana depois, o meu pai, lá no Texas, morreu no meio da noite. Sempre imponente e seguro como uma montanha no horizonte, repentinamente ele partiu.

Um mês depois, sofri o aborto espontâneo e a hemorragia e orei as completas no pronto socorro.

O luto só se amontoava. Eu tinha saudade de casa. A dor de perder o meu pai era sísmica, ainda chacoalhando como tremores secundários. Foi uma estação sombria — chamamos a ela, numa piada cinzenta, a mudança para "Pitada-de-desespero-burgh".*

No próximo mês, descobri que estava grávida novamente. Parecia um milagre. Mas cedo comecei a sangrar e a gravidez se complicou. Eu entrei em "restrição de atividades". Eu não podia ficar de pé por longos períodos de

---

* N.T.: no original, "Pitts-of-despair-burgh", sendo literalmente traduzido como: "poços-de-desespero-burgo".

ORANDO NO ESCURO

tempo, andar mais que alguns blocos ou levantar mais que 5kg, o que significava que eu não podia levantar a minha filha de quatro anos. Ao passar horas na cama todos os dias, a minha mente ficou cada vez mais lenta e obscura. O sangramento continuou quase que constantemente por dois meses, com visitas semanais ao hospital quando piorava, nos preocupávamos de acontecer outro aborto espontâneo ou hemorragia. Por fim, no começo do meu segundo trimestre, no final de julho, perdemos outro bebê, um filho.

Durante esse longo ano, nos dias mais escuros de outono e geadas ocasionais, eu era uma pastora que não conseguia orar.

Eu não sabia mais como me aproximar de Deus. Havia muitas coisas a dizer, muitas perguntas sem resposta. A profundidade da minha dor superava a minha capacidade com as palavras. E, mais dolorosamente ainda, eu não podia orar porque não sabia como confiar em Deus.

Martinho Lutero escreve sobre estações de devastação da fé, quando qualquer confiança ingênua na bondade de Deus se seca. É aí que encontramos o que Lutero chama de "a mão esquerda de Deus."[1] Deus se torna estranho para nós, desconcertante, talvez até assustador.

À deriva na corrente da minha dúvida e do meu luto, eu me agitava. Se você perguntar ao meu marido sobre 2017, ele simplesmente diria: "o que nos fez sobreviver foram as completas."

✦ ✦ ✦

---

1   As obras da mão esquerda são também chamadas das "obras estranhas" de Deus. Ver a explicação em KARKKAINEN, Veli-Matti. "'Evil, love and the left hand of God': the contribution of Luther's theology of the cross to an evangelical theology of evil". *Evangelical Quarterly*. V. 74, n. 3, 2002, p. 222-223.

Uma adaptação do termo latim *completorium*, ou "completude", as completas eram o último ofício de oração do dia. Era um culto de oração feito para a noite.[2]

Imagine um mundo sem luz elétrica, um mundo iluminado somente por tochas ou velas, um mundo cheio de sombras com terrores ocultos à espreita, um mundo em que ninguém poderia ser chamado se um ladrão invadisse e nenhuma ambulância viria, um mundo onde animais selvagens se escondiam nas trevas, onde demônios, fantasmas e outras criaturas da noite eram possibilidades reais para todos. Este é o contexto em que a prática cristã de orações para a noite surgiu e é o que molda o tom emocional dessas orações.

Pela maior parte da história, a noite era simplesmente aterrorizante.

Roger Ekirch começa sua fascinante história da noite dizendo: "seria difícil exagerar a suspeita e a insegurança geradas pela escuridão."[3] No século 18, Edmund Burke disse que não havia outra "ideia tão universalmente terrível em todos os tempos e em todos os lugares quanto as trevas."[4] A Lucrécia de Shakespeare celebremente lamentou a "noite algoz da paz, inferno contrafeito."[5]

A noite também era um símbolo carregado na tradição cristã. Deus criou a noite. Em sua sabedoria, Deus fez as coisas

---

2   Ver, por exemplo, ELAND, Edwin. *The layman's guide to the book of common prayer*. Londres: Longmans, Green & Co., 1896, p. 17.

3   EKIRCH, A. Roger. *At day's close: night in times past*. Nova York: W.W. Norton, 2005, p. 8.

4   BURKE, Edmund. *A philosophical inquiry into the origin of our ideas of the sublime and the beautiful* In: *The works of Edmund Burke*. V. 1. Londres, 1846, iv.xiv, p. 155-156.

5   SHAKESPEARE. *The rape of lucrece*. Nova York: Thomas Y. Crowell Co., 1912, p. 34. [Tradução em português disponível em <https://shakespearebrasileiro.org/o-estupro-de-lucrecia-completo/>].

de tal forma que todos os dias enfrentaríamos um período de trevas. Contudo, lemos em Apocalipse que, no fim de tudo, "não haverá mais noite" (Apocalipse 22.5; cf. Isaías 60.19). E o próprio Jesus é chamado de luz em meio a trevas. Ele é a luz sobre a qual as trevas não prevaleceram.

São João da Cruz, no século 16, cunhou o termo "noite escura da alma" para se referir ao tempo de angústia, dúvida e crise espiritual em que Deus parece sombrio e distante.[6] Isso chama tanto a nossa atenção porque descreve bem nossos medos e dúvidas — "o dia difícil da alma" ou "a manhã nublada da alma" não teriam conseguido permanecer por tanto tempo.

Assim, em trevas tão densas as quais temos dificuldade de imaginar, os cristãos se levantavam de suas camas e oravam nas suas vigílias noturnas. O teólogo norte-africano do terceiro século Tertuliano se refere a "assembleias à noite" em que famílias paravam de dormir para orarem juntas.[7] No Oriente, Basílio, o Grande, instruiu que os cristãos "no começo da noite pedissem que nosso descanso seja sem ofensas [...] e a essa hora o Salmo [91] também deve ser recitado."[8] Muito depois que vigílias noturnas deixaram de ser a prática costumeira das famílias, os monges continuaram a orar a altas horas, acordando no meio da noite para cantar Salmos juntos, afastando as ameaças das trevas. Séculos de cristãos enfrentaram seus medos de perigos desconhecidos e confessaram sua vulnerabilidade a cada noite, usando as confiáveis palavras que a igreja lhes dava para orar.

---

6 JOÃO DA CRUZ. *A noite escura da alma*. Rio de Janeiro: Vozes, 2014.

7 Citado em TAFT, Robert. *Liturgy of the hours East and West*. Collegeville: The Liturgical Press, 1993, p. 18.

8 Citado em TAFT, Robert. *Liturgy of the hours East and West*. Collegeville: The Liturgical Press, 1993, p. 86. A versão da Bíblia que Basílio citou numerava os salmos diferentemente que nossas traduções modernas, então o Salmo 90 para ele é o Salmo 91 para nós.

É claro, nem todos sentem medo à noite. Eu tenho amigos que gostam muito da noite — sua beleza bruta, sua tranquilidade contemplativa, seu espaço para pensar e orar.[9] Anne Brontë começa seu poema *"Night"* [Noite] declarando: "eu amo a silenciosa hora da noite."[10]

Temos muitas razões para amar a noite. O canto do rouxinol e as velas cintilantes, as luzes da cidade ou o crepitar da fogueira com o cair das estrelas pelo céu, o sol se pondo no horizonte na silhueta de um céu avermelhado. Contudo, cada um de nós começa a se sentir vulnerável se as trevas são profundas demais ou persistentes demais. Em ampla medida, é por causa da presença da luz que podemos andar sem medo à noite. Apertando um interruptor, podemos ver tão bem quanto se estivéssemos sob a luz do sol. Mas basta sair na floresta ou para além da civilização e passa por nós aquela sensação quase primitiva de perigo e desamparo que a noite traz.

Na profunda escuridão, até o mais forte ser humano é pequeno e indefeso.

Mesmo com as lâmpadas barulhentas e os *drive-throughs* 24 horas da modernidade, no escuro, nós ainda nos deparamos

---

9   Tanto homens quanto mulheres ficam ansiosos com a noite, mas as mulheres experimentam sua vulnerabilidade mais intensamente durante a noite. Ver, por exemplo, BADGER, Emily. "This is how women feel about walking alone at night in their own neighborhoods". *Washington Post*. 28 de maio de 2014 <https://www.washingtonpost.com/news/wonk/wp/2014/05/28/this-is-how-women-feel-about-walking-alone-at-night-in-their-own-neighborhoods/>; GUEST, Katy. "Imagine if men were afraid to walk home alone at night". *The Guardian*. 8 de outubro de 2018. <https://www.theguardian.com/commentisfree/2018/oct/08/women-men-curfew-danger-fear>; GODFRYD, Elise, "A girl walks home at night' and our culture of fear". *Michigan Daily*. 10 de outubro de 2019. <https://www.michigandaily.com/section/arts/"-girl-walks-home-alone-night"-and-our-culture-fear>

10   BRONTË, Anne. *The poems of Anne Brontë*. Nova York: MacMillan, 1979, p. 110.

com nossa vulnerabilidade de uma forma singular. Há um motivo para filmes de terror normalmente se passarem durante a noite. Ainda se fala da "hora das bruxas". E o poeta John Rives, curador do Museu das Quatro da Manhã, um site que compila referências da cultura pop e da literatura às 4h da manhã, a chama de "possivelmente a pior hora do dia".[11] Essa hora da madrugada, segundo ele, é uma referência popular, prenhe de significado em vários gêneros, culturas e séculos.

A noite não se trata apenas de horas num relógio. Quantas vezes não ficamos acordados à noite, sem pegar no sono, preocupados com o dia seguinte, pensando em tudo que pode dar errado e contando nossas angústias?

Os nossos corpos confrontam as trevas a cada noite. Então a cada noite praticamos encarar nosso estado mais verdadeiro: estamos expostos, não podemos controlar nossas vidas e vamos morrer.

Sob a luz do dia, sou distraída. Em certos momentos, até produtiva.

De noite, me sinto sozinha, numa casa cheia de corpos adormecidos. Sinto-me pequena e mortal.

As trevas da noite amplificam a angústia e a ansiedade. Após o pôr do sol, lembro-me de que nossos dias estão contados e cheios de perdas grandes e pequenas.

Somos tão, tão vulneráveis.

Podemos falar que escolhemos a vulnerabilidade. Nós decidimos se vamos nos "deixar ser vulneráveis" ao compartilhar ou reter o que há de mais profundo em nós, o mais genuíno eu — nossas histórias, opiniões e sentimentos. Nesse sentido, a

---

11   NATIONAL PUBLIC RADIO. "It's four o'clock (in the morning) somewhere". *All things considered*. 19 de outubro de 2013. < https://www.npr.org/templates/story/story.php?storyId=237813527>

vulnerabilidade significa honestidade ou exposição emocional. Porém, não estou falando desse tipo de vulnerabilidade. Pelo contrário, estou falando daquela vulnerabilidade involuntária que todos carregamos, admitamos ou não. O termo vulnerável vem de uma palavra no latim que significa "ferir".[12] Somos *feríveis*. Podemos ser machucados e destruídos, em corpo, mente e alma. Todos nós, cada homem, mulher e criança, carregamos essa vulnerabilidade até o dia de nossa morte.

E, a cada 24 horas, a noite nos dá uma chance de praticar a aceitação de nossa vulnerabilidade.[13]

✦ ✦ ✦

Eu não lembro quando comecei a orar as completas. Não foi um início dramático. Ouvi muitas vezes as completas serem cantadas em santuários escuros onde eu chegava tarde e me sentava em silêncio, ouvindo as orações sendo cantadas em perfeita harmonia.

Numa casa em que há dois pastores, exemplares do Livro de Oração Comum estão por toda parte, como almofadas

---

12   Brené Brown, uma especialista em vulnerabilidade, define vulnerabilidade como "uma incerteza, um risco e uma exposição emocional." Ver, por exemplo, BROWN, Brené. *Rising Strong: how the ability to reset transforms the way we live, love, parent and lead.* Nova York: Random House, 2015, p. 274. O termo possui um espectro de significados e a forma que eu uso esta palavra se sobrepõe à definição de Brown. Todavia, eu emprego o termo de uma forma levemente diferente, pois quero destacar a nossa capacidade ou suscetibilidade a sermos feridos e até destruídos no corpo, na mente e no espírito. Nesse sentido, ser vulnerável é um fato da existência humana antes de ser um estado escolhido voluntariamente.

13   Eu reconheço que, a depender da localização geográfica de alguém, a noite nem sempre vem a cada vinte e quatro horas. Nos verões mais perto do Polo Norte, você pode não ver a escuridão por meses, mas então ter longos períodos de trevas no interno. Isso também é uma experiência corpórea de vulnerabilidade.

espalhadas pela casa. Então uma noite, perdida nos anais das noites esquecidas, eu peguei um deles e orei as completas.

E então eu continuei. Eu comecei a orar as completas com maior frequência, sem perceber o novo hábito se formando. Era só algo que eu fazia, não todos os dias, mas algumas noites por semana, simplesmente porque eu gostava. Era belo e reconfortante.

O padrão das orações monásticas foi estabelecido, em sua maior parte, por Bento e seus monges no século 6. Eles oravam oito vezes por dia: matinas (antes da alvorada), laudas (alvorada), depois prima, terça, sexta, nona e vésperas ao longo do dia (com intervalo de três horas entre elas). Finalmente, na hora de dormir, chegavam as completas.[14]

O Livro de Oração Comum anglicano condensou essas oito horas canônicas em dois "ofícios" de oração — oração da manhã e oração da noite. Mas alguns anglicanos (bem como leigos católicos romanos, luteranos e outros) continuaram a ter orações noturnas fixas. Eventualmente, os livros de oração anglicanos expandiram esses dois ofícios de oração para quatro, adicionando as vésperas e as completas.[15]

Como a maioria dos ofícios de oração, as completas incluem uma confissão, uma leitura dos Salmos e de outros trechos bíblicos, orações escritas e responsivas e um momento de silêncio ou oração espontânea.

✦ ✦ ✦

Pela maior parte da minha vida, eu não soube que existiam tipos diferentes de oração. A oração era uma coisa só: falar a

---

14 PETERSON, Kenneth. *Prayer as night falls*. Brewster: Paraclete Press, 2013, capítulos 1 e 2.
15 BLACK, Vicki. *Welcome to the Book of Common Prayer*. Nova York: Church Publishing, 2005, p. 63-64.

Deus com as palavras que surgiam na minha cabeça. A oração tinha palavras, mas não escritas, era autoexpressiva, espontânea e original. E eu ainda oro desta forma todos os dias. A oração "de forma livre" é uma forma boa e indispensável de se orar.

Porém, eu me convenci de que, para sustentar a fé ao longo da vida, precisamos aprender formas diferentes de orar. A oração é um vasto território, com espaço para silêncio e gritos, para criatividade e repetição, para orações originais e recebidas, para imaginação e razão.

Uma vez levei uma amiga para a minha igreja anglicana e ela reclamou que a nossa liturgia continha, nas palavras dela, "orações de outras pessoas". Ela pensava que a oração deveria ser uma expressão original dos pensamentos, sentimentos e necessidades da própria pessoa. Porém, ao longo da vida, o fervor da nossa fé vai e vem. E isso é normal dentro da vida cristã. A herança de orações e práticas da igreja nos amarram à fé, de forma bem mais segura que nossa perspectiva ou autoexpressão vacilantes.

A oração nos forma. E diferentes tipos de oração nos auxiliam assim como tipos diferentes de pintura, tela, cor e luz auxiliam um pintor.

Quando eu era a pastora que não conseguia orar, os ofícios de oração da igreja foram a antiga ferramenta que Deus usou para me ensinar a orar de novo. Stanley Hauerwas explica o seu amor por orar "as orações de outras pessoas". Segundo ele, "o evangelicalismo constantemente padece sob o fardo de reinventar a roda e tem hora que você cansa." Ele se considera um defensor da prática de ofícios de oração porque

> Não precisamos inventá-las. Sabemos que vamos orar essas orações. Sabemos que vamos nos juntar para ler o Salmo. Vamos ter essas leituras bíblicas. [...] Em certo sentido, o cristianismo é uma repetição e eu penso que

ORANDO NO ESCURO

o evangelicalismo não tem repetições o suficiente para formar os cristãos para sobreviverem num mundo que constantemente nos tenta a sempre pensar que precisamos fazer algo novo.[16]

Quando oramos as orações recebidas da mão da igreja — as orações do salmista e dos santos, a Oração do Senhor, o ofício diário —, oramos para além do que conhecemos, cremos ou do que vem de nós mesmos. "As orações de outras pessoas" me discipularam; elas me ensinar a crer de novo. O grosso da história da igreja proclama *lex orandi, lex credendi*, ou seja, que a lei da oração é a lei da fé.[17] Viemos a Deus com nossa fezinha, por mais fugaz e frágil que seja, e na oração somos ensinados a adentrar mais fundo na verdade.

Quando a minha força esmorecia e as minhas palavras secavam, eu precisava me apoiar numa fé que me carregasse. Eu precisava das orações de outras pessoas.

✦ ✦ ✦

Quando a minha noite escura da alma chegou em 2017, a própria noite era assustadora. A quietude da noite aumentava a minha sensação de solidão e fraqueza. As horas sem luz me

---

16 MOHLER, Al. "Nearing the end — a conversation with theologian Stanley Hauerwas." *Thinking in public*. 28 de abril de 2014. < https:// albertmohler.com/2014/04/28/nearing-the-end-a-conversation-with-theologian-stanley-hauerwas >

17 CHAN, Simon. *Liturgical theology*. Downers Grove: IVP Academic, 2006, p. 46-52. Aidan Kavanaugh observa que a máxima patrística na verdade é *lex orandi statuat lex supplicandi* e que "o predicado *statuat* não permite que essas duas leis fundamentais da fé e liturgia na vida cristã se afastem ou se oponham entre si, como a fórmula *lex orandi, lex credendi*. O verbo *statuat* articula o padrão de crer e o padrão de adorar dentro da assembleia fiel." KAVANAUGH, Aidan. *On liturgical theology*. Collegeville: Pueblo Publishing, 1984, p. 46.

levavam a um espaço vazio onde nada havia diante de mim senão meus medos e dúvidas sussurrantes. Eu encarava o fato duro e inegável de que qualquer um que eu amava poderia morrer naquela noite e que todos os que eu amava morreriam algum dia — fatos que frequentemente ignoramos para passarmos intactos pelo dia.

Então eu encheria as longas horas de trevas com telas cintilantes, consumindo quantidades avassaladoras de textos on-line e de rede social, assistindo displicentemente à Netflix e absorvendo artigos aqui e ali até que eu desmaiava num sono inquieto. Quando eu tentava parar, eu ficava sentada na calada da noite, sobrecarregada e temerosa. Eventualmente eu começava a chorar e, sentindo-me péssima, voltava a telas e distrações — porque era melhor do que ficar triste. Ou ao menos mais fácil. Menos pesado.

A dinâmica do meu consumo noturno de internet parecia uma dependência química: diante de angústia e medo, eu corria para isso para me anestesiar. Quando eu abria compulsivamente o meu computador, eu passava horas sem pensar sobre a morte, ou sobre o meu pai, ou sobre os abortos espontâneos, ou sobre a saudade de casa, ou sobre a minha confusão sobre a presença de Deus em meio ao sofrimento.

Eu comecei uma terapia. Quando eu contei à terapeuta sobre a minha tristeza e a minha ansiedade à noite, ela me desafiou a desligar aparelhos digitais e abraçar o que ela chamava de "atividades de conforto" a cada noite — um longo banho de banheira, um livro, um vinho, oração, silêncio e talvez escrever num diário. Nada de telas. Eu tive recaídas provavelmente umas cem vezes mesmo assim.

Mas eu lentamente voltei a fazer as completas.

Eu precisava de palavras para conter minha tristeza e meu medo. Eu necessitava de conforto, mas do tipo de conforto que não finge que as coisas são radiantes ou seguras ou certas no mundo. O conforto necessário precisava olhar na cara da perda e da morte. E as completas estão cheias de morte.

Ela começa assim: "O Senhor Onipotente nos conceda uma noite tranquila e a paz na derradeira hora." *Derradeira hora? Qual derradeira hora?* — Eu pensava — *a do dia, da semana? Da minha vida?* Continuamos orando: "Nas tuas mãos, Senhor, entrego o meu espírito" — as palavras que Jesus proferiu na sua morte. Oramos: "Ilumina, suplicamos-te, Senhor Deus, as nossas trevas e, misericordioso, defende-nos de todos os perigos e ciladas desta noite", porque admitimos o simples fato que, por conta própria, é muito fácil de negar: há perigos e ciladas na noite. Terminamos as completas orando: "Para que, acordados, vigiemos com Cristo, e, dormindo, repousemos em paz." *Requiescat in pace*. RIP.

As completas falam com Deus no escuro. E era isso que eu precisava aprender — orar no escuro da ansiedade e da vulnerabilidade, em dúvidas e desilusões. Foram as completas que deram palavras para a minha ansiedade e a minha angústia e me permitiram reencontrar as doutrinas da igreja não como remedinhos para a dor, mas como uma luz nas trevas, como boas novas.

Quando estamos afogando, precisamos de um salva-vidas e o nosso salva-vidas na angústia não pode ser um mero otimismo de que talvez nossas circunstâncias melhorem porque sabemos que isso pode não ser verdade. Precisamos de práticas que não vão simplesmente anestesiar nossos medos ou dor, mas que nos ensinarão a andar com Deus sobre as brasas de nossa fragilidade.

Durante aquele ano difícil, eu não sabia como manter juntos Deus e a terrível realidade da vulnerabilidade humana. O que eu descobri é que seriam as orações e práticas da igreja

que me permitiriam manter — ou melhor, ser mantida por
— Deus quando tudo parecia se desmanchar, e me segurar na
história cristã mesmo quando não havia respostas satisfatórias.

Há uma oração específica, perto do fim das completas,
que veio a resumir meus anseios, dores e esperanças. É uma
oração que passei a amar, como se eu sentisse agora ser parte
do meu corpo, uma oração que fiz tantas vezes com a minha
família que a minha filha de oito anos pode falar de cor:

> Vela, ó Senhor amado, com os que trabalham, vigiam ou
> choram nesta noite. Manda que teus anjos guardem os
> que dormem. Cuida dos enfermos, Cristo Senhor. Dá
> repouso aos cansados. Abençoa os que estão à beira da
> morte. Consola os que sofrem. Compadece-te dos aflitos.
> Defende os alegres. Tudo isto te suplicamos somente por
> teu grande amor. Amém.

Esta oração normalmente é atribuída a Agostinho,[18]
mas é quase certo que não foi ele quem escreveu. Ela parece
aparecer repentinamente alguns séculos depois da morte de
Agostinho. Um presente, repassado pela tradição, que permitiu
ao menos uma família aguentar o glorioso mistério doloroso
da fé por mais um tempo.

Ao fazer esta oração toda noite, eu via alguns rostos. Eu
dizia "abençoa os que estão à beira da morte" e imaginava
os últimos momentos da vida do meu pai ou dos filhos que
perdi. Eu orava para que Deus abençoasse os que trabalham
e lembrava das enfermeiras atarefadas que me cercaram no
hospital. Eu dizia "defende os alegres" e pensava nas minhas
filhas dormindo com segurança em seus quartos, abraçadas com

---

18   HATCHETT, Marion. *Commentary on the American Prayer Book.*
Nova York: Harper Collins, 1995, p. 147.

sua coruja e seu flamingo de pelúcia. Eu orava "consola os que sofrem" e imaginava a minha mãe, recém-viúva e imersa em luto do outro lado do país. Eu dizia: "dá repouso aos cansados" e traçava as linhas preocupadas no rosto adormecido do meu marido. E eu pensava na grande tristeza coletiva do mundo, que todos carregamos de formas grandes ou pequenas — os horrores que tiram nosso fôlego e as perdas comuns e ordinárias das vidas de todos nós.

Como uma botânica listando diferentes espécies de árvores numa trilha, esta oração dá categorias específicas de vulnerabilidade humana. Ao invés de orar em geral pelos fracos ou necessitados, nós pausamos perante diferentes realidades de vida, casos singulares de mortalidade e fraqueza, e convidamos Deus para cada uma delas.

Este livro é uma meditação sobre esta amada oração. Ela trata sobre como continuar a andar no caminho da fé sem negar as trevas. Trata sobre o terrível, mas comum, sofrimento que cada um de nós carrega e o que significa confiar em Deus em meio a ele.[19]

---

19 Há todo um gênero de literatura cristã lidando com perdas catastróficas. Frequentemente esses livros são escritos depois de o autor sofrer uma tragédia devastadora, como a perda de um filho ou de um cônjuge. Este livro trata sobre formas mais ordinárias de sofrimento. Se você quer ler mais sobre a presença de Deus em meio a perdas catastróficas, eu recomendo COLE, Cameron. *Therefore I have hope: 12 truths that comfort, sustain, and redeem in tragedy*. Wheaton: Crossway, 2018; SITTSER, Jerry. *A grace disguised: how the soul grows through loss*. Grand Rapids: Zondervan, 2004; WOLTERSTORFF, Nicholas. *Lament for a son*. Grand Rapids: Eerdmans, 1987.

2

VELA, Ó SENHOR AMADO

Dor e presença

Quando eu era criança, eu tinha medo do que havia no escuro — monstros no guarda-roupa , sons fantasmagóricos de galhos arrastando no teto, bandidos atrás da porta.

Naquela época, eu podia sair correndo da minha cama e me apertar entre a minha mãe e o meu pai adormecido. Porém, agora que eu sou adulta e sinto a minha filha de cinco anos se esgueirando na nossa cama toda noite, onde posso encontrar meu lugar seguro? Monstros imaginários no guarda-roupa parecem mais fáceis de fugir do que o medo de ter câncer, ou a palpitação da frustração, ou a perda de um emprego, ou as conversas difíceis que repito na minha mente, ou a minha incerteza sobre como criar meus filhos ou viver bem a vida ou confiar em Deus.

A banda Over the Rhine tem uma música que pergunta: "Quem vai vigiar a porta enquanto estou dormindo?"[1] A cada noite eu faço essa pergunta. Tem alguém vigiando por mim?

---

1 OVER THE RHINE. "Who will guard the door?" *Drunkard's prayer.* Back Porch: Records, 2005.

O que significa que Deus nos vigia — ou que ele vela por nós?

✦ ✦ ✦

Dentre milhares de sermões esquecidos na minha vida, há uma frase em um sermão que eu nunca vou esquecer.

Era uma manhã cinzenta de domingo quando eu estava na faculdade. Alguns meses antes, um garoto de três anos da nossa igreja tinha se afogado. A nossa igreja ainda estava presa no luto enquanto eu ouvia o meu pastor, Hunter, pregar sobre confiar em Deus. "Você não pode confiar que Deus vá impedir que coisas ruins aconteçam com você", ele disse. Eu fiquei boquiaberta.

O que Hunter disse era óbvio. Coisas ruins acontecem o tempo todo, e eu já sabia disso tanto quanto sei hoje. Contudo, o que ele disse também foi devastador. Em algum lugar emudecido dentro de mim, eu esperava que Deus impedisse que coisas ruins acontecessem comigo — de alguma forma, era o trabalho dele fazer isso, ele me devia isso. A clara verdade do que Hunter disse me encarou, óbvia e terrivelmente.

É claro, Deus impede que muitas coisas ruins nos aconteçam. Não sabemos todas as formas desconhecidas que fomos poupados de alguma tragédia — os acidentes que não sofremos, os ferimentos que evitamos, os relacionamentos destrutivos que nunca começamos, as doenças que nossos leucócitos silenciosamente rebateram de nossos corpos sem sabermos.

Entretanto, o ponto de Hunter foi que Deus não impede que todas as coisas ruins nos aconteçam. Não podemos confiar que ele vá fazer isso porque ele nunca o prometeu. Aparentemente, esse não é o trabalho dele. O nosso Criador deixa que permaneçamos vulneráveis.

Porém, se não podemos confiar que Deus vá impedir que coisas ruins nos aconteçam, como podemos confiar nele?

Era essa a pergunta que eu não conseguia resolver, a pergunta que assombrava o silêncio vazio da noite.

Em 2017, depois de meses de conversa sobre luto e perda, sobre meus pais e meu casamento, sobre traumas no corpo e depressão, sobre noite e "atividades de conforto", a minha terapeuta me olhou e perguntou: "Onde está Deus em tudo isso?"

Será que eu poderia acreditar que Deus cuida de mim quando ele não impede que coisas ruins aconteçam? Será que eu poderia confiar nele enquanto eu morria de medo que ele permitisse que eu, ou quem eu amo, sofresse? Quando eu contemplo a imensa tristeza coletiva do mundo, eu ainda posso conhecer a Deus como generoso ou amoroso? Tem alguém de vigia? Tem alguém velando por nós?

O dilema teológico que eu encarava tinha uma longa história e um nome: teodiceia.

A teodiceia nomeia o abstrato "problema do mal" — o dilema lógico de como Deus pode ser bom e todo-poderoso mesmo quando coisas horríveis acontecem regularmente no mundo. E também nomeia a crise de fé que frequentemente acontece depois de um encontro com o sofrimento.[2]

Não era a primeira vez que eu lutava com a teodiceia. Porém, aquele ano difícil — e talvez simplesmente ficar mais velha — fez com que perguntas sem resposta pesassem mais e uivassem naquela noite longa e escura.

A teodiceia não é um mero enigma filosófico abstrato. É a engrenagem de nossas dúvidas mais macabras. Ela às vezes

---

2   Eu devo essa distinção à longa e poderosa exploração de Tom Long sobre teodiceia em LONG, Tom. *What shall we say? Evil, suffering, and the crisis of faith*. Grand Rapids: Eerdmans, 2013.

seca completamente a nossa fé. Uma pesquisa recente mostrou que a razão mais comum para a descrença entre as gerações Y e Z era "sua dificuldade de crer que um Deus bom permitiria tanto mal ou sofrimento no mundo."

Esse dilema é cada vez mais comum. Mais jovens se frustram e se confundem com a teodiceia hoje do que nas últimas gerações.[3] Muitos que caem no agnosticismo ou no ateísmo fazem não por conta de um argumento racional (já que não há provas irrefutáveis a favor ou contra a existência de Deus), mas com um profundo entendimento de que, se há um Deus, ele (ou ela ou o que quer que seja) não é de confiança. Esta é a incredulidade de protesto.[4] Na peça de Samuel Beckett *Fim de partida*, o personagem Hamm rejeita a existência de Deus com o disparate: "O porco! Ele não existe!"[5]

Se não há Deus, o problema do mal some. Em seu livro *Unapologetic* [Sem apologias], Francis Spufford aponta que "na ausência de Deus, é claro que ainda existe mal. Mas não há problema. As coisas simplesmente são assim."[6] Porém, ele continua:

> Assim que o Deus de tudo entra em cena e a física, a biologia e a história do mundo se tornam, de alguma forma, sua responsabilidade em última instância, a falta de amor e proteção na ordem das coisas começa a ganir

---

3   BARNA GROUP. "Atheism doubles among generation Z". *Barna. com*. 24 de janeiro de 2018. <https://www.barna.com/research/atheism-doubles-among-generation-z/>

4   O teólogo Jürgen Moltmann cunhou o termo "ateísmo de protesto" para descrever esse tipo de incredulidade. MOLTMANN, Jürgen. *The Crucified God*. Minneapolis: Fortress Press, 1993, p. 221-227.

5   BECKETT, Samuel. *Fim de partida*. São Paulo: Editora Cosac Naify, 2010, p.111

6   SPUFFORD, Francis. *Unapologetic*. Nova York: HarperOne, 2014, p. 87

[...] A única forma fácil de sair do problema é descartar a expectativa que causa o problema, enterrando o próprio Autor.[7]

Se não há um Deus de amor, as questões de teodiceia evaporam, bem como qualquer sentido redentivo que a nossa dor possa ter, qualquer narrativa transcendente em que possamos situar nosso sofrimento. Pior ainda, quando resolvemos o problema do mal desta forma, encaramos o "problema do bem."[8] O filósofo Alasdair MacIntyre escreveu que quando rejeitamos a Deus para aliviar a tensão que o mal cria, o bem vai embora junto. Chamar algo de "bem" sem um sentido totalizante é simplesmente dizer: "que massa!" ou "eu gostei!", o que é válido, mas desconsidera a nossa profunda intuição de que a verdadeira beleza, generosidade, gentileza e deslumbramento participam e apontam para um fundamento real e supremo.[9]

Se não há ninguém para velar por nós, ninguém em quem podemos confiar para ficar de vigia à noite, então, tudo que acontece, bom ou ruim, é puro caos, acaso e aleatoriedade biológica. Mas crer num Deus transcendente quer dizer que nos deparamos com o problema do mal. Por isso há bibliotecas inteiras de livros buscando responder à questão da teodiceia — respostas e soluções oferecidas às centenas, muitas delas excelentes e sábias.

Porém, mesmo com toda tinta gasta, ainda não estamos satisfeitos. As nossas perguntas persistem.

---

7   Ibid., p. 88.

8   JACOBS, Alan. *Shaming the Devil*. Grand Rapids: Eerdmans, 2004, p. 77-81.

9   MACINTYRE, Alasdair. *After virtue*. 3ª ed. South Bend: University of Notre Dame Press, 2013, p. 14-15.

A razão é que a teodiceia, em última instância, não é uma equação matemática cósmica, como se bastasse descobrir qual é o x. É algo quase primitivo. Um grito. Uma agonia. Um protesto das profundezas do coração humano.[10]

Onde estás, ó Deus? Tem alguém velando por nós? Tem alguém olhando? Então nos diga por quê! Por que este mal, este coração partido, este sofrimento?

Eu passei a ver a teodiceia como uma luta de facas existencial entre a realidade de nossa vulnerabilidade trêmula e nossa esperança por um Deus confiável.

No fim das contas — no meu caso, literalmente no fim do dia, na escuridão da noite —, o problema da teodiceia não tem resposta. Como Flannery O'Connor escreveu, "não é um problema para ser resolvido, mas um mistério a ser suportado."[11]

Às vezes falamos do mistério como se fosse um código para desvendar — como se toda a vastidão do conhecimento estivesse disponível para nós, só que não chegamos até lá ainda. Porém, o verdadeiro mistério invoca o que está fundamentalmente para além do nosso alcance. O mistério é um encontro com uma realidade inescrutável, um reconhecimento de que o mundo crepita de possibilidades porque está impregnado da presença avassaladora e imprevisível de Deus. Avery Cardinal Dulles escreveu que os mistérios "não são plenamente inteligíveis para a mente finita", mas que a razão para isso "não é a pobreza, e sim a riqueza" do mistério.[12]

---

10 Ver SURIN, Kenneth. *Theology and the problem of evil*. Eugene: Wipf & Stock, 2004, p. 162-163

11 O'CONNOR, Flannery. *Mystery and manners*. Nova York: Farrar, Straus & Giroux, 1969, p. 208.

12 DULLES, Avery Cardinal. *Models of the church*. Nova York: Crown Publishing, 2002, p. 10.

Uma razão para o problema do sofrimento não ter uma resposta fechadinha é que a dor e o mal são, na sua raiz, irracionais. Os cristãos entendem que o mal e o sofrimento são forças da "anti-criação".[13] Eles não se encaixam no domínio da razão e da ordem porque eles frustram a razão e desintegram a ordem. Se houvesse uma explicação elegante para a dor, seria necessário encaixá-la em algum lugar na ordem do cosmos, como uma parte essencial da realidade. Porém, o entendimento da igreja primitiva sobre o mal e o sofrimento era de que eles eram absurdos, uma anormalidade inexplicável, uma ausência grosseira do bom e do verdadeiro.[14]

Todavia, em segundo lugar e mais importante ainda, o problema do mal não pode ser adequadamente respondido porque o que queremos primariamente não é *uma resposta*. No final das contas, não queremos que Deus simplesmente se explique, que nos dê uma aula de como furacões ou dores de cabeça se encaixam no seu plano redentivo cósmico. Queremos ação. Queremos ver a justiça feita.[15]

No seu cerne, a teodiceia é o anseio por um Deus que note o nosso sofrimento, que se importe o suficiente para agir e que

---

13 PLANTINGA JR., Cornelius. *Not the way it's supposed to be*. Grand Rapids: Eerdmans, 1996, p. 29-30; WRIGHT, N.T. *Paul and the faithfulness of God*. Minneapolis: Fortress Press, 2013, p. 761: "A própria ressurreição demonstrou que o verdadeiro inimigo não eram 'os gentios', nem mesmo o terrível espectro do império romano. O verdadeiro inimigo era a própria Morte, a força suprema anti-criação, com o Pecado — o poder personificado do mal, fazendo o papel algumas vezes do próprio 'satanás' — como seu capanga."

14 Ver a discussão em MATTHEWES, Charles. *Evil and the Augustinian tradition*. Cambridge: Cambridge University Press, 2001, p. 60-75.

15 N.T. Wright fala sobre a ressurreição como a salvação de Deus que é "a reversão ou o desfazimento ou a derrota da morte." WRIGHT. *The resurrection of the Son of God*. Minneapolis: Fortress Press, 2003, p. 201 [Edição em português: *A ressurreição do Filho de Deus*. São Paulo: Paulus, 2020].

renove todas as coisas. É uma dor que não pode ser aliviada, que todos carregamos fundo em nossos ossos para onde quer que vamos todos os dias — e todas as noites.

No meu livro favorito de C.S. Lewis, *Até que tenhamos rostos*, a protagonista Orual escreve uma reclamação contra os deuses. Ouvimos as suas sofridas histórias: ela nasceu feia, perdeu a mãe quando era pequena, encontrou uma melhor amiga e um mais profundo amor — sua irmãzinha — só para perdê-la também. Ela descreve amarga e detalhadamente luto em cima de luto.

Orual exige uma resposta. Ela exige que os deuses se expliquem.

Nas últimas páginas do livro, com sua lista de acusações ainda em mãos, Orual encontra Deus numa visão. Ela é transformada e conclui o seu livro assim: "Agora eu sei, ó Senhor, por que não me deste respostas. Tu és a resposta. Perante a tua face, as perguntas morrem. Que outra resposta bastaria? Palavras, só palavras; para guerrearem contra outras palavras."[16]

Nas profundezas do nosso sofrimento, nós não queremos apenas palavras para guerrearem contra outras palavras. Queremos ver a justiça feita.

Os cristãos sempre conheceram a realidade da dor. Eles viveram durante guerras e pragas, sem vacinas ou a medicina moderna, quando a morte sempre batia à porta, quando o sofrimento era desenfreado e inevitável, quando as noites eram terrivelmente escuras. Contudo, milhões de fiéis há muito teimaram manter esta antinomia: Deus é bom e poderoso e é comum que coisas terríveis aconteçam no mundo.

---

16   LEWIS, C.S. *Till we have faces*. Nova York: Harcourt, 1984, p. 308 [Edição em português: *Até que tenhamos rostos*. Viçosa: Ultimato, 2018].

A igreja sempre soube deste paradoxo, mas, em vez de resolver sua tensão, deixou que continuasse assim. Permitimos que este acorde tocasse desafinado por milhares de anos, sempre crendo que ele só seria corrigido quando o próprio Deus, enfim, tocasse as notas harmonizadas.

O meu profundo questionamento de "*Onde Deus está no meio de tudo isso?*" é uma dor que persistirá, espero, até que meu anseio encontre seu fim. Eu quero justiça; eu anseio por ressurreição; eu quero integridade, bondade e restauração. E eu não estarei plenamente satisfeita até que Deus — cuja face mata nossos questionamentos — faça a justiça, até nos mínimos detalhes.

Mas ainda não chegamos lá. Vivemos no ínterim. E neste ínterim, como podemos aguentar um mistério desses? Como podemos viver como cristãos num mundo onde crianças sofrem, casamentos se desintegram, injustiça reina, tiranos prosperam, sentimos frustração e futilidade, adoecemos e eventualmente morremos? Como confiamos num Deus que não impede que tudo isso aconteça? Como ousamos pedir que ele vele por nós?

✦ ✦ ✦

Como pastora, já percebi que nos momentos mais vulneráveis e humanos de nossas vidas, doutrinas são inevitáveis. Quando tudo se desmancha no ar, todos nós, de ateus a monges, recuamos para o que cremos sobre o mundo, sobre nós mesmos e sobre Deus.

A minha amiga Julie (a esposa do pastor Hunter) é uma artista. Tenho algumas aquarelas dela na minha cozinha. Anos atrás, quando o seu filho era bem jovem, ele precisou fazer uma cirurgia. Como qualquer pai cujo filho passa por uma experiência dessas, os meus amigos ficaram ansiosos. Antes de as enfermeiras levarem sua criança para a sala de cirurgia,

Julie olhou para o Hunter e disse: "Precisamos decidir agora mesmo se Deus é bom ou não, porque se esperarmos para determinar isso pelos resultados da cirurgia, Deus sempre permanecerá no banco dos réus."

Se a questão de Deus ser real ou não — ou se Deus é gentil, indiferente ou um porco — for determinada unicamente pela comparação de alegria e tristeza nas nossas vidas ou no mundo, nunca conseguiremos dizer nada sobre quem ou como Deus é. As evidências são inconclusivas. Se a história da minha breve vida e os meus sentimentos determinarem o caráter de Deus, então ele é o médico e o monstro. Essa forma de se aproximar de Deus se torna um jogo de pôquer sem fim. Para cada esplêndido esguicho de água ejetado por uma baleia, há um incêndio florestal devastador em compensação. Para cada migração de borboletas-monarcas, há barbeiros espalhando a doença de Chagas. Para cada mãe deslumbrada com o primeiro sorriso de seu bebê, há outra mãe vendo o recém-nascido se retorcer com seu último fôlego. Para cada ato inspirador de bondade humana, há outra pessoa tramando contra os fracos. Em todas as nossas vidas, da mais feliz à mais trágica, as evidências circunstanciais sobre a bondade de Deus se dividem. Há beleza e há terror.

Não podemos equilibrar a vulnerabilidade humana e a confiabilidade de Deus ao mesmo tempo a não ser que haja algum sinal certo de que Deus nos ama, de que ele não é um proprietário ausente ou, pior, um monstro. Mas não podemos descobrir um sinal desses a partir das circunstâncias de nossas vidas ou do mundo. Precisamos decidir o que acreditamos sobre como e quem Deus é. Precisamos decidir se alguém está de vigia, se alguém vela por nós. É uma decisão inevitavelmente baseada em doutrinas — o que é um pouco irritante —, nos primeiros princípios aos quais precisamos voltar de novo e de novo, na história pela qual definimos nossas vidas.

Segundo Francis Spufford, "não temos um argumento para resolver o problema de um mundo cruel, mas temos uma história."[17] É por isso que, não importa qual alegação cremos ou descremos, o que vem à tona nos nossos momentos mais vulneráveis é inevitavelmente a história sobre a qual construímos as nossas vidas.

O cristianismo não nos oferece uma explicação concisa da vulnerabilidade, da perda ou da dor, mas ele nos dá uma história — uma história real que aconteceu na história factual. O *Catecismo da igreja católica* afirma que "não há nenhum elemento da mensagem cristã que não seja, por uma parte, uma resposta à questão do mal [e do sofrimento humano]."[18] É preciso levar em conta toda a narrativa da história da redenção para moldar nossas questões sobre a presença de Deus nas trevas. Pode não haver uma solução fechadinha para o problema do mal, mas não é porque essas questões são irrelevantes ou sem resposta, em definitivo. Se há uma resposta ainda que remotamente cristã às perguntas da teodiceia, a resposta é uma história.

Quando Julie se sentou na sala de espera do hospital enquanto os cirurgiões cortavam a pele macia do seu filho, ela se comprometeu com a decisão de que poderia confiar em Deus, independentemente do resultado da cirurgia. Ela tinha que decidir se ela cria nas afirmações do cristianismo sobre a bondade de Deus. Ela saiu do pôquer, abaixou suas cartas e decidiu confiar num Deus que não garante que coisas ruins não aconteceriam com ela ou com o filho dela.

Porém, essa decisão não é arbitrária, não é um salto no escuro. Ela não estava simplesmente se forçando a afirmar a

---

17   SPUFFORD. *Unapologetic*, p. 107.
18   CATECISMO DA IGREJA CATÓLICA. 9ª. ed. Petrópolis: Vozes; São Paulo: Paulinas, Loyola, Ave-Maria, 2011, p. 93.

bondade de Deus mesmo com as evidências do contrário. Ela olhava sim para as evidências, mas não para as evidências da vida dela, nem para o total de bem no mundo em comparação ao total de mal. Pelo contrário, ela olhava para a vida de Jesus. É nessa história que ela ancorou a decisão dela sobre se Deus era confiável, sem saber o que aconteceria em seguida.

A igreja sempre proclamou que, se queremos saber como Deus é, basta olhar para Jesus — o um homem "que sabe o que é padecer" (Is 53.3, ARA), experimentado no luto, um camponês e artesão que sabia o que era sofrimento, do menor ao maior, e que morreu como um criminoso, quase totalmente sozinho.

Misteriosamente, Deus não tira a nossa vulnerabilidade. Ele entra nela.

Jesus deixou um lugar sem noite para entrar nas nossas trevas. Ele se deparou com calos e indigestão, com relacionamentos fraturados e com morte de amigos, com um império opressor, com a miséria da pobreza e com o terror da violência. Numa noite, ele suou sangue pedindo ao Pai para que lhe poupasse da agonia, chorando sozinho nas trevas enquanto seus amigos caíam no sono. Ele disse: "não seja feita a minha vontade, mas a tua" (Lucas 22.42) e logo depois ele foi torturado até a morte.

Deus não impediu que coisas ruins acontecessem com o próprio Deus.

Olhar para Jesus é saber que nosso Criador sentiu dor, enfrentou problemas e sabe bem o que é padecer. Mas a nossa esperança no sofrimento não é simplesmente folhear a biografia de um homem de séculos passados congelada nas páginas da Bíblia. A história do evangelho não é um simples mantra ou uma relíquia histórica, ela está viva e ativa até hoje. A obra de Jesus continua até hoje nas nossas vidas ordinárias. Então nas dificuldades não olhamos para Jesus apenas como quem esteve ali antes, num "era uma vez" de um passado distante. Encontramos ele aqui e agora conosco, no tempo presente. Ele participa de nosso sofrimento, na verdade, misteriosamente, nós participamos com nosso sofrimento da plenitude da vida de Cristo.

Entretanto, não podemos abraçar a história cristã ou a presença contínua de Cristo nas nossas vidas por um ato de pura força de vontade ou por exercícios cognitivos. A nossa esperança na angústia não é algo que carregamos por aí como um fato bruto ou, pior, uma resposta pronta. Não passo a confiar na história cristã da mesma forma que sei que o Amazonas é o maior estado do Brasil ou que se faz pão com fermento e farinha. De alguma forma, adentramos a história em que vivemos — descobrimos nossas vidinhas e historinhas na grande história de Deus e sua igreja.

Fazemos isso por meio das práticas e das orações que recebemos daqueles que vieram antes de nós. Adotamos e aprendemos o ofício da fé que nos permite conhecer um Deus real, surpreendente, decepcionante e incansavelmente misericordioso. Aqui e agora.

Anos atrás, durante uma viagem de férias para New Hampshire, Jonathan e eu escalamos o Monte Washington, conhecido por sua imprevisibilidade climática. Ele pode mudar de quente e ensolarado para a neve em questão de horas. O vento é tão forte que ele já quebrou o recorde de lufada de vento no planeta Terra. Na nossa escalada, pensamos que poderíamos ser atirados montanha abaixo (não temos fotos deste dia em que o meu cabelo não esteja todo na minha cara.). E há uma neblina também, que vem tão densa que muitos escaladores se perdem e morrem. Então o bondoso povo de New Hampshire construiu moledros pela trilha: estruturas de pedras maciças que parecem torres para marcar o caminho. Quando a neblina chega e o tempo é perigoso, os aventureiros podem se abrigar no sopé ou no topo da montanha simplesmente andando de moledro a moledro que se destacam na branquidão.

Nas trevas mais escuras, os moledros que me mantiveram no caminho de Jesus foram as orações e as práticas da igreja.

Quando eu não conseguia orar, a igreja dizia: "tome estas orações." Quando eu não podia crer, a igreja dizia: "venha para a mesa e coma." Quando eu não podia adorar, a igreja cantava para mim na língua da fé.

Formas herdadas de oração e culto — práticas litúrgicas — são uma forma de a igreja antiga construir moledros para nós, para nos ajudar a suportar este mistério, nos manter no caminho da fé e nos levar de volta para casa.

A teodiceia não se "resolveu" para mim. Não é um fato que tenha solução no aqui e agora. Por muitos anos, ainda vou andar na neblina. Mas eu tenho moledros para seguir, os quais já guiaram muitos outros no mesmo clima maluco e imprevisível.

✦ ✦ ✦

Eu tenho uma amiga que é artista têxtil. Dentre outras coisas, ela costura bandeiras náuticas porque, além do fato de serem maravilhosas, há toda uma poesia embutida nelas. Segundo Merritt Tierce, "há quarenta bandeiras num conjunto completo de bandeiras internacionais de sinalização marítima — uma para cada letra do alfabeto inglês, uma para cada número e quatro bandeiras chamadas de substitutas, para operações especiais."[19]

Levantadas sozinhas ou em diferentes combinações, as bandeiras significam coisas diferentes. Enquanto uma cruz

---

19   TIERCE, Merritt. "At sea" *The Paris Review*. 18 de novembro de 2016. <https://www.theparisreview.org/poetry/5426/at-sea-shannon-borg>

azul num fundo branco, seguida por uma bandeira dividida em quatro triângulos coloridos significa "*o que o vento está fazendo?*", a bandeira com um triângulo amarelo e outro vermelho significa "*homem ao mar*". Há combinações para corridas e para alertar sobre tempestades. Segundo Tierce,

> Eu queria que tivéssemos bandeiras assim para nós humanos, como se cada um fosse um barco, para comunicar nossos estados, lubrificados ou danificados, nossos destinos atuais, nossos desejos e privações. Talvez o rádio do meu amigo estivesse quebrado, mas ao menos ele poderia erguer a sua bandeirinha de "eu estou sofrendo mesmo neste dia ensolarado" e eu poderia levantar a minha bandeira de "eu posso dar um passeio com você e lhe ouvir." Poderíamos ver de verdade uns aos outros, entender e agir, sem ter de passar por todas essas palavras.[20]

Atualmente, nesses tempos de comunicação por rádio e digital, com satélites e GPS, os navios ainda levam bandeiras a bordo caso tudo mais falhe, mas eles raramente as utilizam. Bandeiras para navios são quase como máscaras de oxigênio em aviões: são necessárias quando tudo dá errado. Se tudo que te resta, ao ficar à deriva no meio do vasto oceano, são alguns quadradinhos de tecido ondulante para pedir ajuda, pode saber que você está numa fria.

Agora imagine que você está num barco, sozinho e com medo, à deriva, depois do sol se pôr, sem ter como entrar em contato com ninguém, a não ser com a bandeira que você recebeu para este exato momento. Você não sabe o que fazer, então você simplesmente levanta a bandeira — de fundo branco com um X vermelho no meio.

E você vê um navio, distante, mas se aproximando. Ele carrega bandeiras em resposta, um diamante vermelho brilhante

---

20   Ibid.

num fundo branco, seguida por outra com dois triângulos, um amarelo e outro vermelho, e, então, por fim, uma em formato de trapézio de fundo branco com um círculo vermelho no meio.

Foi esta combinação de bandeiras náuticas que a minha amiga costurou e pendurou na parede de seu quarto. Significa: "*vou ficar perto de você à noite*".

Quando eu estava à deriva no luto, sem saber o que fazer, as orações da igreja, especialmente as orações das completas, foram as bandeiras que eu sinalizei à noite.

A esperança que Deus nos oferece é esta: ele vai ficar perto de nós, mesmo nas trevas, na dúvida, no medo e na vulnerabilidade. Ele não promete impedir que coisas ruins aconteçam. Ele não promete que a noite não vai chegar, nem que ela não será assustadora, nem que imediatamente voltaremos à terra firme.

Ele promete que não ficaremos sozinhos. Ele velará por nós durante a noite.

Spufford escreve que, em última instância, "não queremos um Criador que possa se explicar. Queremos um amigo na hora do luto, um juiz honesto na hora dos absurdos, uma esperança maior do que nós na hora do desespero." Se sofremos profundamente, diz ele, não há explicação, razão ou resposta que alivie o nosso coração partido. "O único consolo que pode fazer alguma coisa — e provavelmente a maior coisa que pode fazer é ajudar você a aguentar ou, se não conseguir aguentar, ao menos cair e se curvar sem se odiar totalmente — é o conforto de sentir que você é amado."[21]

No fim, é só isso que precisamos saber.

---

21   SPUFFORD. *Unapologetic*, p. 105.

PARTE 2

O CAMINHO DA VULNERABILIDADE

A treva enorme fitando, fiquei perdido receando,
Dúbio...

EDGAR ALLAN POE,
O CORVO, TRADUÇÃO DE FERNANDO PESSOA

Já que vivemos no presente
A única maneira que se entende
Sempre da fonte de luz depende.

FUGAZI, "CLOSED CAPTIONED"

3

OS QUE CHORAM

Lamento

Dormir, comer, dançar, fazer sexo, assistir TV, beber num bar, pegar o metrô, se preocupar, tuitar, tomar banho, ler.

Tudo isso pode encher as nossas noites.

Por que então esta oração pede que Deus vele especificamente os que trabalham, vigiam ou choram? Na verdade, eu não sei. Obviamente a intenção não foi resumir todo o escopo de atividades noturnas.

Porém essas três palavras me moldaram, em toda sua gloriosa simplicidade. Ao fazer esta oração, noite após noite, *trabalhar*, *vigiar* e *chorar* começou a representar não apenas o que podemos fazer à noite, mas como nos movemos fielmente num mundo em que é tão fácil nos ferir. Essas palavras se tornaram uma firme treliça sobre a qual cresceu o meu entendimento de como suportar o mistério da teodiceia.

Jesus respondeu às trevas trabalhando, vigiando e chorando — e nos juntamos a ele para fazer o mesmo.

Vamos começar com o último: chorar.

✦ ✦ ✦

As adversidades da minha vida não são fora do normal. As minhas experiências de perda e angústia são ordinárias.

Claro que eu poderia reclamar (e, de vez em quando, reclamo mesmo). Já passei por decepções e lutos, até alguns traumas. Eu entrei e saí de sessões de terapia para lidar com dores da infância e frustrações do presente.

Contudo, eu também tenho muito pelo que posso agradecer. Eu cresci com pais que se importavam comigo. Eu tenho um diploma de graduação. Eu nunca me perguntei se teria a próxima refeição. Eu adoro os meus filhos. Eu sou relativamente saudável. Eu sou amada por quem eu amo. A minha vida é boa.

Mesmo no difícil ano de 2017, eu sabia que a minha tristeza não era incomum. Quase todos nós passaremos pela perda de um dos pais. Quase um quarto das grávidas sofre aborto espontâneo. A maior parte das pessoas já se mudou, sentiu saudade de casa e ficou solitária. Porém, saber que essas experiências são comuns não diminui a dor quando passarmos por elas.

Pela maior parte da minha vida, com minha criação texana e meu temperamento, eu pensei que as bênçãos da minha vida me desqualificavam para falar muito sobre o luto. "Poderia ser pior" era o lema da minha família. O meu pai, que foi pobre quando criança e conheceu dificuldades que eu não conheci, frequentemente dizia: "eu ficava triste de não ter sapatos até que vi um homem sem pés." Então ele faria uma pausa, sorriria e diria: "então eu peguei os sapatos dele. Ele não precisava. Ele não tinha pé!"

Meu pai também diria: "já tive cortes piores nos meus lábios, mas sempre continuei assobiando." Isso era uma lenda na minha família. Não havia um dano terrível demais para não invocar a exortação do meu pai de continuar "assobiando". Ossos quebrados. Acidentes. Cirurgias. O meu pai deve ter sofrido uns cortes horripilantes nos seus lábios porque ele sempre tinha um corte pior do que qualquer ferida que apresentássemos.

Walker Percy escreveu que a cultura do sul dos Estados Unidos era uma espécie de sincretismo entre estoicismo e cristianismo.[1] E os meus pais sorririam e aguentariam o tranco como o melhor dos estoicos.

Eu não acho que isso é totalmente ruim. Numa cultura que cada vez mais se compromete a lamber cada ferida, há uma profunda sabedoria em saber nomear o que tem de bom e direito na vida, continuar andando mesmo com os obstáculos, manter uma perspectiva mais ampla, encarar as dificuldades nos olhos e rir.

Porém, o lado ruim dessa resistência à dor é que não aprendemos a lamentar sofrimentos e perdas ordinárias — os fardos comuns, mas ainda pesados, que carregamos todos os dias. Uma vez que alguém tivesse passado por algo pior (o que sempre é verdade), eu sentia que não era permitido ficar triste, chorar e lamentar.

Por um bom tempo, eu pensei que as únicas pessoas com a permissão de se lamentar — ao menos publicamente e sem restrições — eram as que enfrentavam tragédias sem precedentes. O resto simplesmente se empurrava para frente com suas tristezas comparativamente pequenas. Só continuar assobiando.

Eu também pensava que o luto era uma estação — algo trágico pelo qual você passa. As pessoas perdem um ente querido e então, por um ou dois anos, elas ficam de luto.

---

1   Walker Percy escreve: "A grandeza do Sul, como a grandeza do cavalheirismo inglês, sempre teve um sabor grego mais forte do que o cristão. A sua nobreza e graciosidade eram a nobreza e a graciosidade da antiga Estoa." PERCY, Walker. "Stoicism in the South" in *Signposts in a strange land*. Nova York: Picador, 2000, p. 84.

O CAMINHO DA VULNERABILIDADE

Certamente há estações específicas de profundo luto. O luto, em parte, é uma resposta às intensas perdas de nossa vida. Há tempo de chorar. Mas a forma como eu entendo o luto mudou. Eu passei a ver o luto como parte da experiência cotidiana de ser humano num mundo que é ao mesmo tempo bom e cruel. Nesse sentido, o luto é uma constante para nós. Ele é a resposta certa e realista para a nossa vulnerabilidade.

Eu não defino mais o luto como simplesmente a resposta à tragédia. O luto é ordinário. Todos nós passamos por lutos todos os dias, de uma forma ou de outra. Todos carregamos dores e perdas, pequenas frustrações e memórias perturbadoras.

Eu provo pontadas de angústia mesmo quando as coisas estão muito felizes. Quando meus filhos alegremente pulam em cima da minha cama cedo na manhã e me envolvem em seus braços, eu me sinto num pequeno paraíso. Porém, mesmo aí, há certas partes do meu cérebro que contemplam o lado ruim: "espera, isso logo vai acabar." As flores murcham e a grama seca. Tudo que você ama é passageiro. Eu ainda sinto uma profunda alegria nesses momentos; a vulnerabilidade e a perda não extinguem isso. Eu não me sinto exatamente num luto. E, na maior parte das vezes, eu continuo com meu dia comum, mal notando a tristeza. Eu preciso me levantar e ajudar a arrumar as crianças para a escola.

Contudo, o luto sempre está ali, se esgueirando silenciosamente pelos cantos de qualquer cômodo como um macabro animal de estimação.

As nossas vidas brilhantes e resplandecentes, nossas explosões de alegria, nossas realizações e nosso amor sempre são contornados pela sombra da morte. Há momentos em que a tristeza acelera e se aguça, imponente e inevitável, e há tempos em que ela se retrai. Mas ela continua sendo o ruído de fundo de toda a experiência humana.

Como pastora, eu vejo isso todas as semanas. A quantidade de dor sofrida até pelas pessoas aparentemente mais felizes me arrepia. Eu olho para as pessoas da minha igreja durante o culto e sei a história de cada uma delas. Tem aquela mulher maravilhosa que parece já estar com a vida feita, mas o seu querido filho está viciado em drogas e ela vive sabendo que o seu amor não é suficiente para salvá-lo. Ali está um homem cuja família parece perfeita. Ele ainda se contorce com a dor de um pai que ele nunca conseguiu agradar. Ali tem uma mulher com uma carreira invejável. Ela quer muito ter um filho e já nem sabe quantas vezes perdeu uma gravidez. A minha congregação é bela e ordinária, mas a cada domingo há tristeza o suficiente ali para calar os céus.

Eu conheço uma diretora espiritual que começa cada uma de suas sessões com cinco a dez minutos de silêncio. Ficar ali sentada em silêncio é uma nova experiência para muitos e, segundo ela, durante esses minutos quase todo mundo que ela conhece começa a chorar. Na maioria das vezes, eles ficam sem palavras para explicar o porquê; mas, nessa tranquilidade vazia, a tristeza emudecida que cada um carrega se derrama de seus olhos.

É claro que a realidade persistente do luto não significa que nos sentimos tristes o tempo todo. O luto é tão parte de nós quanto nosso sistema circulatório ou nossos sobrenomes, mas somos pessoas complexas e podemos, e vamos, ter tristeza e luto juntos porque ambos testemunham a verdade. Graças a Deus, mesmo num mundo ferido, ainda provamos glória, aventura, extravagância, e até euforia.

Então o que precisamos fazer?

Para começar, precisamos aprender a chorar. Isso não é algo natural para a maioria de nós. Precisamos nos permitir notar, admitir e experimentar a tristeza. E nós resistimos a isso de todas as formas, como indivíduos, como cultura e como igreja.

O CAMINHO DA VULNERABILIDADE

Esta oração das completas não nos permite ignorar o luto. Ela nos lembra dos que choram, porque todos sabemos, lá no fundo, que toda noite tem gente chorando — e uma noite ou outra — essa pessoa será você.

✦ ✦ ✦

Eu tenho um amigo cuja família estava caindo aos pedaços. Sempre otimista, ele me disse um dia: "o problema não é o luto, mas me sentir triste. Eu estou cansado de me sentir triste." Eu quase ri — não da tragédia dele, mas porque me identifiquei com o sentimento dele.

O nosso problema é com o sentimento de tristeza. Vamos fazer praticamente qualquer coisa para evitá-lo. E se precisamos nos sentir tristes, ao menos queremos que nossa tristeza acabe quando já estamos fartos dela. Nós queremos que o luto seja apenas mais uma tarefa na nossa lista; o temporizador da alma vai tocar e poderemos ir para a próxima tarefa. Mas não é assim que o luto funciona. Nós o controlamos tanto quanto controlamos o clima. Não é simplesmente uma atividade intelectual, um reconhecimento cognitivo da perda. Sentir tristeza é o custo de ser vivo emocionalmente. Na verdade, é o custo até da santidade. Os cristãos precisam se permitir ser um povo que lamenta. Faz parte do pacote. É uma característica essencial de quem Jesus chama de "bem-aventurados".

Mary Allerton, uma poeta puritana que viajou para a América no *Mayflower*, escreveu um poema depois de seu filho nascer morto. Começa assim:

Não há tempo para luto agora, não há tempo.
Só há tempo para trabalhar no frio.[2]

---

2   Citado em MEAD, Sidney. *The lively experiment: the shaping of Christianity in America.* Nova York: Harper & Row, 1963, p. 4.

Os que choram

Quase quatro séculos depois de Allerton escrever essas palavras, eu estava no meu gabinete pastoral com uma mulher contando sobre a sua angústia: "eu estou de luto, mas não tenho tempo para isso. Eu tenho que trabalhar. Eu não posso parar." A semelhança foi impressionante. Aqui estão duas mulheres em circunstâncias completamente diferentes, em dois séculos diferentes e, sem saber, disseram exatamente a mesma coisa. Elas tinham a mesma dor.

A maioria dos americanos tem uma tendência herdada de resistir ao luto. É o nosso DNA nacional; é a água em que nadamos. Os Estados Unidos tendem para o otimismo e o progresso, a ocupação e produtividade.[3] Não parar. Fomos sutilmente ensinados que não podemos ter tempo para o luto.

Henri Nouwen começa o seu livro *Uma carta de consolação* com a história dos meses que seguiram a morte de sua mãe, quando percebeu que havia enchido sua vida de trabalho e diversas atividades. Ele escreve o seguinte:

> A vida ocupada certamente não me encorajou a ouvir meus gritos interiores. Mas, um dia, quando eu parei por um tempo no meu escritório entre compromissos, eu repentinamente percebi que eu não tinha derramado uma lágrima sequer antes ou depois da morte da minha mãe. Naquele momento, eu vi que o mundo tinha tanto domínio sobre mim que ele não me permitia experimentar plenamente nem mesmo o evento mais pessoal, mais íntimo e mais misterioso da minha vida. Era como se as vozes ao meu

---

3   Peter Leithart descreve americanos como "ilimitadamente otimistas". LEITHART, Peter. *Between Babel and Beast*. Eugene: Cascade, 2009, p. 57. Damon Linker argumenta que o nosso otimismo "também tende nos cegar para dimensões irredutivelmente trágicas da vida." LINKER, Damon. "American optimism is becoming a problem" *The Week*. 27 de abril de 2020. Disponível em: https://theweek.com/articles/911058/american-optimism-becoming-problem.

redor dissessem: "Você não pode parar. A vida continua. As pessoas morrem, mas você precisa continuar a viver, trabalhar e lutar. Não dá para voltar ao passado. Olha para o que está na sua frente." Eu obedecia a essas vozes [...] Mas eu sabia que isso não iria durar se eu realmente quisesse levar a minha mãe e a mim mesmo a sério.[4]

Nouwen foi para um monastério por seis meses e nesse tempo de quietude ele se pegou chorando tranquilamente, mesmo quando ele não estava pensando conscientemente sobre sua mãe ou qualquer outra perda. Na oração e na lentidão, algo se libertou dentro dele.

Depois que meu pai morreu, eu tirei uma semana para viajar de volta ao Texas, para sete dias cheios de reuniões e preparativos funerários. Então eu voltei direto para o trabalho, aceitando mais palestras e projetos de escrita, me enfiando no novo ministério da minha igreja local. Nas horas mais lentas da noite, o luto reprimido demandava uma audiência, mas eu normalmente me recusava a escutar. Todo esse trabalho e ocupação eram vícios aceitáveis que me permitiam evitar, como Nouwen, "meus gritos interiores".

Todavia, a não ser que concedamos certo espaço para o luto, não poderemos conhecer as profundezas do amor de Deus, o Deus que cura e retorce a dor, a forma que o luto traz sabedoria, conforto, e até alegria.

Se não dermos espaço para o luto, ele não irá simplesmente desaparecer. O luto é teimoso. Ele dará um jeito de ser ouvido ou morreremos tentando silenciá-lo. Se não o encararmos diretamente, ele nos comerá pelos cantos, de

---

4   NOUWEN, Henri. *A letter of consolation*. Nova York: Harper & Row, 1989, p. 7 [Edição em português: *Uma carta de consolação*. São Paulo: Editora Cultrix, 1999].

modos que não são sempre fáceis de reconhecer como luto: explosões de raiva, ansiedade fora do controle, vazio compulsivo, amargura regurgitante e vícios sem fim. O luto é um fantasma que não pode descansar até que seu propósito seja cumprido.

Por anos, Jonathan viveu com uma corrente de raiva subterrânea quase constante. Ela o moldou e a nossa vida comum também, como um fio desencapado no meio da casa. Quando ele começou a ver nossa terapeuta, Ginger, a sua raiva começou a lentamente murchar. Todo mundo que o conhecia começou a ver que ele se tornara uma pessoa mais profunda. Ele ainda é um homem sanguíneo e até ele admitiria que mesmo hoje ele não é o exemplo de serenidade, mas ele está aprendendo a ser tardio em se irar.

Curiosamente, à medida que sua raiva ia embora, ele chorava — no começo, quase o tempo todo. Acontecia com tanta frequência e de forma tão pública que uma mulher gentil na nossa igreja chegou um domingo com alguns lencinhos de presente. Isso era o sinal da cura. Ginger nos disse que debaixo da raiva sempre está o medo ou a tristeza ou ambos. Um registro de luto estava sendo ignorado há muito e agora exigia uma audiência. Jonathan estava enlutado por perdas enterradas, até mesmo uma dor muda e desconhecida. A raiva se endurecera ao redor de velhas feridas infectadas e encrustadas, e ele não podia ser curado até que um pouco de sangue saísse. Então as lágrimas corriam como sangue.

Hoje, embora ele chore menos, ele está mais disposto a chorar. As suas lágrimas estão mais perto da superfície. Ele já ganhou lencinhos de presente, afinal.

Houve muita discussão nos últimos anos sobre a "cultura de cancelamento" e como ela sufoca as discordâncias e leva a uma sociedade mais polarizada e menos gentil. A resposta

O CAMINHO DA VULNERABILIDADE

cristã a uma cultura do cancelamento não pode ser imitá-la ou perpetuá-la, mas também não podemos simplesmente condenar certos cancelamentos em prol de uma forma pura de lógica esclarecida que não possui emoção alguma. Realmente há muito com que se chatear, diversas perdas para chorar e bastante para se lamentar. O testemunho profético da igreja para uma cultura do cancelamento deve ser uma comunidade que sabe como chorar junto diante da dor e injustiça no mundo (tanto no passado, quanto no presente) e da realidade de nosso pecado e miséria. Precisamos aprender a ouvir ao medo e à tristeza debaixo da raiva cuspida pelas pessoas na forma de acidez política e veneno digital.

Depois que meu primeiro livro sobre a vida ordinária foi publicado, eu fiz oficinas com pessoas de todo país explorando como gastamos nossos dias — nosso tempo, nosso trabalho, nossos hábitos e nossas práticas. Eu também perguntava às pessoas o que elas normalmente faziam quando se sentiam ansiosas, solitárias ou tristes.

Mais de uma vez, eu percebi como nos acostumamos a somar distrações anestesiantes quando sentimos dor. Ao invés de aceitar o desconforto da nossa vulnerabilidade, corremos para álcool, trabalho, redes sociais, filmes, entretenimento e até debates políticos. Nenhuma dessas coisas são ruins em si mesmas. Essas pessoas com que conversei não tomavam heroína toda vez que tinham um dia ruim. Porém, ainda assim, elas me disseram de centenas formas diferentes que não tinham tempo para o luto.

Se não queremos uma cultura de cancelamento, não podemos trocar por uma simples cultura racional ou uma cultura distraída ou anestesiada ou ocupada. Precisamos aprender a ser uma cultura de lamentação.

Como igreja, precisamos aprender a desacelerar e permitir o vazio continuar sem preenchimento. Precisamos separar tempo para o luto.

✦ ✦ ✦

Uma das minhas imagens favoritas do povo de Deus se encontra numa passagem pouco conhecida do livro de Esdras. No fim do exílio, a fundação do templo finalmente tinha sido firmada. Houve uma grande festa, pois o povo de Israel se reuniu para adorar e para marcar a restauração de Deus. Era esse o momento que eles esperavam, o auge de sua redenção. Contudo, como Esdras nos conta, "Mas muitos dos sacerdotes, dos levitas e chefes de famílias mais idosos que tinham visto o primeiro templo choraram bem alto quando viram o lançamento do fundamento deste templo. Muitos também gritaram de júbilo. Assim, não se podiam distinguir as vozes do júbilo das vozes do choro do povo, pois os gritos do povo eram muito fortes e o som se ouvia de longe." (Esdras 3.12-13). Que se dane a dignidade — essas pessoas sabiam como festejar e como lamentar suas perdas ao mesmo tempo. Mesmo neste momento de restauração triunfante, ainda havia uma cicatriz e valia pena chorar por ela.

É assim que vai ser a vida até que Deus endireite as coisas, a vida no ínterim, no já, mas ainda não. Vimos o lançamento do fundamento do templo — na verdade, Paulo chama Jesus de "fundamento" (1Coríntios 3.11, NAA). Há uma beleza abundante nesta vida de fé que recebemos; há uma graça quase inimaginável que recebemos mesmo no dia mais comum. Contudo, a renovação ainda não aconteceu. A perda sempre está presente. A beleza e a dor estão entrelaçadas, sendo impossível separá-las. Em Esdras, a resposta do povo de Deus era admitir tudo isso, sem negar ou minimizar nada disso, proclamando esperança e perda como completamente verdadeiras, tanto que ninguém poderia distinguir os gritos de alegria dos choros de tristeza.

Não conseguimos aprender isso sozinhos. Precisamos de práticas cristãs comunitárias para nos ensinar a verbalizar tanto a plenitude da dor quanto a plenitude da alegria, sem diminuir um só fio de cabelo de um ou de outro. No seu livro *Mudhouse Sabbath* [Sábado na oca], Lauren Winner observa como os cristãos são rápidos para proclamar a ressurreição e a esperança, o que ela elogia. Mas, segundo ela, "o que as igrejas não fazem tão bem é o lamento. Perdemos um ritual para o processo longo e cansativo de angústia e perda."[5] Porém, para andar fielmente por este mundo sombrio, precisamos lamentar nossas perdas, por mais trágicas, ou corriqueiras, que sejam. Precisamos chorar com os que choram. A nossa tarefa é adotar práticas em que nomeamos, com total sinceridade, a miséria do mundo e a promessa do que está porvir.

✦ ✦ ✦

Os Salmos foram o primeiro livro de oração da igreja. Desde os primeiros pais e mães cristãos, a oração era recitar os Salmos, da mesma forma que um evangélico hoje poderia assumir que oração é falar com Deus nas nossas palavras. Na discussão de Robert Wilken sobre os pais da igreja, ele diz:

> A oração vem primeiro, porque sem uma oração regular e disciplinada não há vida espiritual genuína. E a oração para o monge significa algo bem específico: recitar as orações dos Salmos. Deixados aos nossos próprios pensamentos e orações, a oração se move na superfície. Os Salmos

---

5   WINNER, Lauren. *Mudhouse Sabbath*. Brewster: Paraclete Press, 2007, p. 27.

afrouxavam as suas línguas e lhes davam uma linguagem para ler o livro do coração e entrar numa conversa mais profunda com Deus.[6]

Todos somos tão carregados de ressentimentos e suspeitas subconscientes, desejos desarmônicos e crenças meia-boca, que precisamos de uma tutoria constante da igreja antiga, nossos irmãos e irmãs mais velhos que podem nos ensinar a "ler o livro do coração."[7]

Ao orar os Salmos ano após anos por milênios, em quase todas as línguas e em todos os lugares da terra, a igreja aprendeu a permanecer viva para cada desconfortável e complexa emoção humana. Aprendemos a festejar e aprendemos a lamentar. João Calvino chamou os Salmos de "a anatomia de todas as partes da alma". Ele disse que não há emoção humana que "qualquer um encontre em si cuja imagem não seja refletida neste espelho. Todos os lutos, tristezas, medos, enganos, esperanças, cuidados, ansiedade, em suma, todas as emoções perturbadoras com as quais as mentes dos homens acabam se agitando, o Espírito Santo retratou com exatidão aqui."[8]

Os Salmos são dramáticos. E a vida — mesmo a vida ordinária — é dramática, encharcada de significado, cheia de gloriosa beleza e profunda dor.

O filósofo D.C. Schindler chamou a vida contemporânea de uma "fuga da realidade" — a tentativa de abafar o eu por meio de tecnologia, conforto e distração das tristezas e dos

---

6   WILKEN, Robert Louis. *The first thousand years.* New Haven: Yale University Press, 2012, p. 107.

7   WARREN, Tish H. "By the book". *Comment.* 1º de dezembro de 2016. <https://www.cardus.ca/comment/article/by-the-book/>

8   CALVINO, João. *Writings on pastoral piety.* Nova York: Paulist Press, 2001, p. 56.

dilemas de nossas vidas.[9] Somos tentados por quase cada tendência de nossa cultura a formar nossas vidas para que não haja tempo para o luto, mas apenas o ritmo opaco de consumo, anestesiando nossa agonia — mas, junto, com ela, nossa alegria, deslumbre e anseios. Os Salmos nos chamam de volta para as profundezas dramáticas da realidade.

Com o passar do tempo, a prática de orar os Salmos nos ensina tanto a chorar quanto a rir — e nos ensina sobre o que chorar e rir. O teólogo J. Todd Billings escreve que Agostinho via os Salmos como "a forma de Deus remodelar nossos desejos e percepções para que aprendêssemos a lamentar as coisas certas e nos regozijar com as coisas certas."[10]

As nossas emoções são boas; elas são dádivas de Deus que nos apontam para a verdade. As nossas emoções podem ser desviadas e egocêntricas. A oração nos convida a trazer todo o nosso eu — em toda sua gloriosa complexidade — a Deus, que nos conhece melhor do que jamais conheceremos.

Historicamente, a igreja considerava os Salmos medicinais.[11] Eles nos curam. Eles nos ensinam a como sermos plenamente humanos e plenamente vivos. Assim como um médico prescreve amoxicilina para sinusite, os pais da igreja prescreviam meditação e repetição de Salmos específicos para males espirituais específicos. Atanásio disse que "qualquer que seja a sua necessidade ou problema particular, a partir deles [os Salmos] você pode

---

9   SCHINDLER, D.C. *Freedom from reality: the diabolical character of modern liberty*. South Bend: University of Notre Dame Press, 2017, p. 147.

10   BILLINGS, J. Todd. *Rejoicing in lament: wrestling with incurable cancer and life in Christ*. Grand Rapids: Brazos, 2015, p. 38.

11   Ver BURNS, Paul. *A model for the Christian life: Hilary of Poitiers' commentary on the Psalms*. Washington: Catholic University of America Press, 2012, p. 54-57.

selecionar uma forma de palavras que se encaixe, de modo que você [...] aprenda como remediar a sua dor."[12]

✦ ✦ ✦

Os salmos de lamento — tanto os coletivos quanto os individuais — são o tipo mais comum de salmo no Saltério. Eles verbalizam frustração, raiva, tristeza, dor, desorientação profunda e perda. Se o nosso culto público expressa apenas uma confiança inabalável, ousadia, vitória e avivamento, estamos aprendendo a ser menos honestos com Deus do que as próprias Escrituras. Como o primeiro livro de oração, os Salmos fornecem o padrão de oração para todos os livros de oração desde então e suas orações são variadas e multidimensionais como nossa experiência humana.

O lamento é uma expressão de tristeza. Aprender a lamentar é aprender a chorar. Mas é mais do que isso. Nos salmos de lamento, o salmista cobra as promessas de Deus para o próprio Deus. O Salmo 44, por exemplo, começa com uma perplexidade total, lembrando a Deus como ele cuidou do seu povo no passado e lhe perguntando por que ele parecia não estar ajudando mais:

> Desperta! Por que dormes, Senhor?
> Desperta! Não nos rejeites para sempre!
> Por que escondes o rosto e te esqueces da nossa miséria
> e da nossa opressão?
>
> (Salmo 44.23-24)

É melhor vir a Deus com palavras duras do que continuar longe dele, nunca verbalizando nossas dúvidas e frustrações.

---

12 ATANÁSIO. "The letter of St. Athanasius to Marcellinus on the interpretation of the Psalms" in *On the incarnation*. Crestwood: St. Vladimir's Seminary Press, 1977, p. 103.

Melhor se irritar com o Criador do que fumegar em devoções polidas. Deus não repreendeu o salmista. Ao longo dos Salmos, ele nos incentiva a falar com ele sem filtros.

Contudo, para deixar as coisas mais difíceis, a maior parte de nós não só vive numa cultura que se inoculou contra o lamento, como também vive numa cultura em que é fácil presumir que sabemos mais do que Deus. Somos ensinados de várias formas sutis que nossos sentimentos e experiências são o centro da realidade. Isso é cultivado em nós de maneiras grandes e pequenas todos os dias. Uma propaganda de jeans no rádio proclama: "eu falo a verdade com a minha Calvin." Essa mensagem constante nos reduz a meros agentes de nossa autoexpressão e identidade curada — o que pensamos, o que sentimentos, o que queremos e o que compramos. Começamos a nos aproximar de Deus apenas para julgar a ele e a suas ações segundo nossas preferências e supostas verdades. Esperamos que Deus nos convença que ele é um acessório útil em nosso projeto de autocriação. Desse modo, bem sutilmente, nos aproximamos a Deus não num lamento honesto, mas como clientes insatisfeitos. Deus não nos dá o que queremos, ele não tira a dor deste mundo e, para ser sincera, ele é lento demais. Não estamos contentes com o trabalho que Deus está fazendo e o cliente sempre tem razão no final.

Esses impulsos culturais concorrentes — de varrer a dor para debaixo do tapete da distração ou da falsa piedade, por um lado, e exigir que Deus faça do nosso jeito e lhe julguemos por nossos padrões, pelo outro — nos deixam com um nó cego. Como nossas dúvidas honestas e luto não se tornam uma incredulidade rebelde, um instinto comercial de que Deus nos deve algo ou uma espécie de juízo consumista do desempenho de Deus, como se estivéssemos dando ao Criador do cosmos menos que cinco estrelas?

Mas os salmos de lamento não servem simplesmente para desabafar nossas reclamações contra um Deus de baixo

Os que choram

desempenho. Billings continua: "pelo Espírito, trazemos nossa raiva, medo e luto perante Deus a fim de que possamos ser vistos por Deus. E ser visto por Deus leva à transformação."[13] O lamento não só é um ato de autoexpressão ou de exorcizar a dor: ele nos forma e cura. Os Salmos expressam cada emoção humana, mas, recitados vez após outra, nunca nos deixam simplesmente como estávamos. Eles são um remédio forte. Eles nos mudam. A transformação efetuada não é converter nossa tristeza em felicidade; eles não pegam pessoas tristes e lhes tornam irritantemente sorridentes e otimistas. Eles nunca dizem "veja o lado positivo" ou "não é tão ruim assim." Nem nos dizem por que sofremos.[14] Pelo contrário, eles firmam nossa visão no amor de Deus por nós e nos ensinam a localizar a nossa dor e anseio no drama eterno de Deus.[15] Eles nos formam para ser um povo que pode manter as profundezas de nossa dor com total sinceridade, ao mesmo tempo em que nos mantemos firmes nas promessas de Deus.

✦ ✦ ✦

A igreja primitiva entendia que orar os Salmos era orar com o próprio Cristo. Em parte, porque Cristo orou os Salmos.[16]

---

13   BILLINGS, *Rejoincing in lament*, p. 42.

14   N.T. Wright escreve: "o ponto do lamento, entrelaçado na costura da tradição bíblica, não é ser uma válvula de escape para nossa frustração, tristeza, solidão e pura incapacidade de entender o que está acontecendo ou por quê. O mistério da narrativa bíblica é que *Deus também lamenta.*" WRIGHT, N.T. "Christianity offers no ideas about the coronavirus. It's not supposed to". *Time.* 29 de março de 2020. <https://time.com/5808495/coronavirus-christianity/>

15   WRIGHT, N.T. *The case for the Psalms: why they are essential.* Nova York: HarperOne, 2013, p. 136. [Edição em português: *Salmos: contextos históricos, literário e espirituais para resgatar o hinário do antigo Israel.* Rio de Janeiro: Thomas Nelson Brasil, 2020].

16   WILKEN, Robert Louis. *The spirit of early Christian thought.* New Haven: Yale University Press, 2008, p. 315-317; ver também

O CAMINHO DA VULNERABILIDADE

Muitas vezes. Ele os repetiu mais do que qualquer outra parte das Escrituras hebraicas. E, enquanto morria, as palavras do Salmo 22 estavam prontas nos seus lábios. Essas palavras de tenebrosa dor foram dele.

Quando olhamos para a vida de Jesus, vemos um homem plenamente vivo tanto para o choro quanto para o riso, para a dor e para a alegria. Ele bebeu tudo isso até a última gota. Puro e sem mistura.

Jesus chorou como quem tem esperança, mas a sua esperança não diminuiu o seu choro. Quando o seu amigo Lázaro morreu, Jesus sabia que ele estava prestes a ressuscitá-lo novamente, mas ele ainda tinha tempo para o luto. Jesus chorou.

Jesus também leva o mal a sério. Na frente do túmulo do seu amigo, ele não estava apenas lamentando que Lázaro tivesse parado de respirar. Ele estava olhando para as trevas profundas do que o teólogo Thomas Long chama de "Morte com M maiúsculo".[17] Naquele momento, Jesus não viu somente o fim físico da vida de um amigo, mas toda a realidade do sofrimento humano, a longa noite que todos nós precisamos passar neste mundo perdido e miserável. E ele a odiou. Ele odeia a Morte — o poder do pecado e das trevas no mundo, o poder de cada traição, grande ou pequena, o poder do abuso, da apatia, do ódio, da violência, do genocídio e da injustiça.

Embora Jesus tenha ressuscitado seu amigo dentre os mortos, não foi suficiente para suprimir o poder da Morte com M maiúsculo. Lázaro morreria de novo. Lázaro ainda viveria num mundo cruel de luto, vulnerabilidade e frustração. Jesus

---

BONHOEFFER, Dietrich. *Psalms: the prayerbook of the Bible.* Minneapolis: Augsburg Press, 1966, p. 37-38.

17 LONG, Thomas. *Accompany them with singing: the Christian funeral.* Louisville: Westminster John Knox, 2009, p. 38-40.

olhou para a grande escuridão e se enfureceu. Ele olhou para a Morte nos olhos e "comovendo-se profundamente outra vez" (João 11.38), ele chorou das profundezas do seu ser. As Escrituras usam uma frase grega estranha aqui que invoca uma imagem muito bizarra e baixa de um cavalo bufando. O luto de Jesus transbordou, sendo poderoso e bruto, quase animalesco.[18]

Jesus chorou novamente quando contemplou a cidade de Jerusalém. Em meio a lágrimas, ele disse: "Quantas vezes eu quis ajuntar teus filhos, como a galinha ajunta seus filhotes debaixo das asas, e não quiseste!" (Mateus 23.37). Aqui ele chora não por fúria com a morte, mas pela tristeza de um amor não correspondido. É uma imagem profundamente maternal: Jesus anseia ajuntar os filhos, cobri-los na segurança e intimidade de seu abraço. Mas eles se recusam. Ocupada e distraída, a cidade fervilhante dá as costas. Qualquer mãe que precisou sentar e ver seu filho se destruir, assistir a seu amado caminhar para a destruição, a exploração ou o vício, observar como aquele filho para quem ela cantou e ninou desapareceu numa pessoa que ela não pode reconhecer, sabe um pouco sobre o choro de Jesus por Jerusalém.

O próprio Deus tirou um tempo para o luto. Ele não é distante do peso de um coração partido e do terror, a dor de olhos inchados que choraram tanto que não tem mais lágrimas. Ele não se anestesiou ou minimizou suas perdas. Ele nunca deu uma resposta pronta. Deus foi — e continua sendo — assustadoramente vivo emocionalmente.

✦ ✦ ✦

O fim da Bíblia se volta para o fim dos tempos e João descreve um momento arrebatador em que Deus enxugará

---

18   Ver a poderosa discussão em BRUNNER, Frederick Dale. *The Gospel of John*. Grand Rapids: Eerdmans, 2012, p. 679-680.

cada lágrima dos olhos do seu povo (Apocalipse 21.4). Quando finalmente virmos Deus face a face, seremos completos enfim e não haverá mais morte, choro ou dor. Toda justiça será feita. Mas — espere — antes vamos chorar bastante uma última vez.

A redenção não pula as trevas, mas sim exige que até a última lágrima seja derramada.

Os cristãos acreditam que um lugar de alegria eterna não só existe, como também é mais real que o lugar diminuto de tristeza e dor que agora conhecemos. Claro que a imagem de Deus enxugando nossas lágrimas pode ser uma metáfora — uma afirmação de que todas as coisas darão certo no final. Mas e se não for uma linguagem estritamente poética? E se, diante do rosto de nosso Criador, tivermos uma última chance de honrar todas as perdas que esta vida trouxe? E se pudermos estar perante Deus um dia e ouvir nossas histórias de vida, contadas pela primeira vez de forma exata e completa, com todas as reviravoltas e sentido que não percebemos quando as vivemos? E se a história incluir todas as trevas de sofrimento, todos os ferimentos que recebemos e repassamos aos outros, todo o terror da Morte com M maiúsculo e recebermos a chance de chorar uma última vez ao lado do próprio Deus? E se, antes de começarmos a viver num mundo onde tudo se renovará, chorarmos com o único que é capaz de enxugar permanentemente todas as nossas lágrimas?

4

OS QUE VIGIAM

Atenção

A noite mais escura que eu já vi foi durante um verão numa vila remota no oeste da Uganda. A cidadezinha em que ficávamos não tinha eletricidade, então ela era iluminada à noite por pequenas fogueiras. As pessoas se reuniam à volta delas, conversando e rindo; os seus rostos cintilavam na luz alegre.

Mas uma noite foi inexplicavelmente calma. Alguns outros viajantes e eu saímos da casa de um amigo missionário e caminhamos cerca de quatrocentos metros para a escola onde trabalhávamos. Essa pequena caminhada levou uma vida. O breu daquela noite não tinha lua nem estrelas. Eu balancei a minha mão a centímetros do meu nariz e não pude vê-la.

Acendemos uma lanterna e quatro de nós nos agrupamos perto dela — a única luz por quilômetros. Ela iluminava cerca de três passos à frente no caminho de britas e depois o nada, por uma eternidade. Era como se pudéssemos cair da beira da terra. Tudo estava silencioso, menos o ruído esquisito da lanterna enferrujada, que balançava suavemente, e o coaxo das rãs à noite. Eu estava morrendo de medo — com medo do escuro, com medo do que estava fora da luz da lanterna, com medo de todas as coisas no céu e na terra que eu não podia ver.

O CAMINHO DA VULNERABILIDADE

Naquele breu, cada sentido ficava mais aguçado. Na medida do possível, eu estava de vigia. Eu ouvia a cada som, com minha atenção focada. Eu notava cada tremelique da luz da lanterna, cada coaxo de rã, cada som das minhas pisadas delicadas. Eu estava esperando para voltar para um lugar seguro atrás de portas fechadas ou para encontrar o que quer que estivesse nas trevas.

Na próxima manhã, descobrimos que uma guerrilha do outro lado da fronteira, por causa de um conflito no Congo, tinha lançado um ataque mortal perto de onde estávamos. As fogueiras comuns da noite tinham sido apagadas e todo mundo tinha se escondido nas suas casas — menos a gente.

Eu nunca esquecerei aquela noite ou a concentração forçada, a atenção incólume, que vigiar no breu poderia gerar.

Aqueles metros que andei é como vivemos as nossas vidas. Não podemos ver mais que alguns passos à frente. Não sabemos o que a próxima hora, muito menos o próximo dia, trará. Eu me senti vulnerável naquela estrada escura, não porque eu estava sob riscos maiores que o normal (eu não sabia naquele momento da violência acontecendo ali perto e ninguém chegou perto de nós, para falar a verdade), mas, porque eu estava no escuro, quase sozinha, sem as coisas das quais eu poderia depender para me sentir segura ou no controle.

✦ ✦ ✦

Na vulnerabilidade incansável de nossas vidas, nós não só choramos — nós vigiamos. C.S. Lewis disse: "Ninguém tinha me dito que o luto parece tanto com o medo."[1] Como

---

1   LEWIS, C.S. *A grief observed.* Nova York: HarperOne, 1994, p. 3 [Edição em português: *A anatomia de uma dor.* São Paulo: Editora Vida, 2006].

Lewis, eu descobri que o meu luto frequentemente se disfarça de ansiedade. As perdas que eu tive me fazem temer o que está porvir. Eu começo a pensar: "não tira isso de mim não, Senhor. Não tira isso de mim de novo." Porém, é claro, não podemos barganhar com Deus. Podemos escalar às alturas do conhecimento humano e ainda não saber o que vai acontecer no café da manhã de amanhã.

Como um vigia noturno, não sabemos o que virá primeiro, um ladrão ou o nascer do sol. Entendemos quando salmista diz que a sua alma esperava por Deus "mais do que os guardas pelo amanhecer" (Salmo 130.6). Mas a nossa ansiedade é que não temos ideia de quando virá a manhã ou do que acontecerá conosco enquanto isso.

Podemos apenar andar pela vida como andei por aquela estrada de britas, um passo de cada vez, perto dos nossos amigos, agarrados no círculo de luz que recebemos e confiando a Deus o que não podemos ver.

Como cristãos, nós adotamos o vigiar como uma prática — até mesmo um dever. Estamos de olho à procura da graça.

Nós proclamamos que mesmo na mais profunda treva há alguém em quem podemos confiar, que nunca nos deixará. Nós cremos que, mesmo se o pior acontecesse, há uma solidez na beleza, no próprio Deus, que permanecerá.

A nossa postura de espera não nega os horrores da noite, mas também aposta na chegada da manhã.

O medo também nos faz ficar de olho, mas, ao invés de procurar a alvorada, nós imaginamos apenas desolação. Nós presumimos que não haverá graça o suficiente para o que está adiante de nós. O medo nos diz que não há ninguém em quem confiar nesta estrada escura.

Na oração das completas, oramos por quem vigia.

É claro, eu entendo isso literalmente — oramos pelos guardas noturnos, pela polícia, pelos bombeiros e por quem quer que fique de olho no radar militar.

Entretanto, quando faço esta oração, também oro por aqueles que esperam e vigiam sem saber o que está porvir. Neste sentido, todos nós somos "os que vigiam". Se você já ficou sentado de noite, ouvindo atentamente um som que você não sabe bem o que é, ou prestando atenção nos medos da sua mente, então você sabe o que é vigiar.

Vigiar é esperar. Mas vigiar envolve mais do que esperar. Não é o mal-estar entediante da fila de uma repartição pública. Envolve atenção, anseio e esperança. É aquela pessoa apaixonada, com um buquê na mão, procurando aquele rosto específico no aeroporto lotado, a mãe grávida alerta para os primeiros sinais do trabalho de parto ou o amigo andando para lá e para cá fora da sala de cirurgia.

A postura constante do cristão é se inclinar um pouco para frente de antecipação. Esperamos que Deus aja, faça a justiça, apareça e resolva as coisas, seja de forma surpreendente e miraculosa, seja simplesmente mudando a situação.

Esperamos que Deus cure os doentes, apazigue os conflitos, encoraje os desanimados e esclareça nossas perplexidades. E às vezes é isso que ele faz. E às vezes os doentes morrem, os conflitos pioram, o desânimo cresce e as perplexidades se aprofundam. E ainda assim continuamos a vigiar e esperar, sabendo que agora o que podemos ver — este pequeno círculo de luz de lanterna — não é a estrada toda, não é o final da história.

✦ ✦ ✦

Dez anos atrás, o meu casamento estava complicado. Jonathan e eu estávamos arrasados, solitários e cansados de anos de briga. Tínhamos filhos bem pequenos e longas listas de chateações e reclamações. Então, depois de meses de aconselhamento conjugal, fizemos a única coisa que sabíamos fazer: pedimos que amigos orassem, deixamos as crianças com a mãe do Jonathan e fomos para Chattanooga, no Tennessee. Fizemos trilhas e comemos muito bem. E brigamos muito, e choramos, e conversamos, e gritamos, e acertamos as coisas. Fizemos mais algumas trilhas, e gritamos, e conversamos e choramos mais um pouco. Numa loja de lembrancinhas, em Chattanooga, encontramos um ímã que hoje está na nossa geladeira. Ele diz: "Tudo vai dar certo no final. Se não está dando certo, não é o final."

Compramos como uma declaração sobre o nosso casamento — vamos resolver isto, vamos ouvir, perdoar, aprender a amar ou morrer tentando.[2] Havia muito pouco nas nossas circunstâncias para nos deixar otimistas, mas a promessa deste ímã (mesmo que não fosse sua intenção original) não era para esta vida apenas — era escatológica. Ele expressa a nossa esperança de que, embora no mundo tenhamos aflições, Jesus venceu o mundo (João 16.33). Como Juliana de Norwich celebremente afirmou, "tudo acabará bem, tudo acabará bem e todo tipo de coisa acabará bem."[3]

Porém, isso não significa que vai ficar tudo bem agora ou que deveríamos fingir que ficará. Isso significa simplesmente que não é o fim.

Eu frequentemente foco nas promessas da vida espiritual para este mundo: comunidade, buscar a justiça, formação

---

2   Eu quero deixar claro que ninguém deve continuar num casamento abusivo. Há razões bíblicas para um divórcio ser permissível — adultério, abuso e abandono. Se você pensa estar num relacionamento abusivo, por favor, procure ajuda [no caso do Brasil, ligue 180].

3   JULIANA DE NORWICH. *Revelações do amor divino*. São Paulo: Paulus, 2018, p. 61.

espiritual. Contudo, se isso é tudo o que o cristianismo oferece, ele é, na melhor das hipóteses, perda de tempo e, na pior, ele é opressivo e malicioso, porque andar no caminho de Cristo vai deixar a vida difícil, pelo menos, a curto prazo. A narrativa cristã proclama que a nossa esperança suprema não está em nosso tempo de vida, dando-nos benefícios na vida antes de morrer. Nós vigiamos e esperamos pela "ressureição dos mortos e a vida no mundo porvir". A promessa de Deus de renovar todas as coisas não será cumprida até que Deus irrompa no tempo, trazendo a eternidade consigo.

Os cristãos acreditam que essa reorganização cósmica já começou na ressureição de Cristo. A ressureição de Jesus é a única evidência de que o amor triunfa sobre a morte, a beleza dura mais que o terror, os mansos herdarão a terra e os que choram serão consolados. A razão de eu continuar vigiando e esperando, mesmo com o mundo coberto de trevas, é por causa das coisas que eu espero não estarem baseadas em sonhos ou rituais religiosos, mas serem sólidos como uma pedra que foi removida.

Quando nossas vidas estão cercadas de privilégios e confortos, algumas pessoas podem elocubrar sobre os benefícios emocionais de espiritualidade ou oração — independentemente do que se crê ser verdade ou não. Mas, quando estamos sofrendo, fica claro que, se não há ressureição, nós, seguidores de Cristo, estamos desperdiçando um bocado de dor. É quando encontramos a adversidade que as palavras de Paulo mais fazem sentido: "Se a nossa esperança em Cristo é apenas para esta vida, somos os mais dignos de compaixão entre todos os homens" (1Coríntios 15.19). É vida ou morte.

Somente por causa da ressureição de Jesus é que podemos dizer que "tudo vai dar certo no final." Nós suportamos o mistério da aguardando ansiosamente pelo que Deus prometeu:

a vinda do reino, os pacificadores serem chamados filhos de Deus, os puros de coração verem a Deus e que o próprio Deus nos console em nosso choro.

✦ ✦ ✦

Os meus super-heróis favoritos, quando o assunto é prestar atenção, são os observadores de pássaros.

O fervor com que observadores de pássaros profissionais buscam um entufado-baiano ou um rabo-branco-de-margarette é inspirador, ainda que um pouco excêntrico. Na revista *New Yorker*, Jonathan Rosen descreve observadores como "caricaturas geniais de pessoas normais". Ele continua: "como um observador de pássaros, eu reconheço os dois sintomas: eu já viajei distâncias enormes para ver pássaros; eu risquei nomes de pássaros das minhas listas e senti uma alegria estranha, como se isso me protegesse do mal; eu já ouvi [...] cantos de pássaros no meu iPod."[4]

Os meus amigos observadores de pássaros são mestres da percepção. Eles estudam e catalogam o mundo natural com um cuidado e diligência que eu dificilmente tenho para outra coisa. Eles notam os habitantes de árvores distantes mais do que eu noto o que eu estou vestindo ou quem se sentou do meu lado no ônibus. Eles sempre estão de olho e essa atenção impressionante revela a minha falta de atenção, como é raro eu procurar por qualquer coisa, como é fácil eu passar por um mundo cheio de beleza e misericórdia e nunca olhar para cima.

Há uma poesia cotidiana ignorada no desconhecido mundo dos observadores de pássaros. Como todos os grandes poetas,

---

4   ROSEN, Jonathan. "The difference between bird watching and birding". *New Yorker*. 17 de outubro de 2011, <https://www.newyorker.com/books/page-turner/the-difference-between-bird-watching-and-birding>

os observadores de pássaros se destacam por sua profunda contemplação do mundo. Eles nos lembram de que a glória vem apenas ao vigiar e esperar, ficando de olho para o que a maioria deixa de enxergar. Sites e revistas de observação de pássaros são verdadeiras aventuras para quem já se entediou com a cidade. É voltar para a frescura do ar livre. Um relatório de um observador diz: "a primeira espécie que eu notei aparecer este ano foi um chapim tufado cantando *Peter, Peter, Peter* no nosso pomar, numa tarde ensolarada de domingo, no final de janeiro. O seu canto foi o meu primeiro lembrete auditivo de que o inverno eventualmente irá acabar."[5]

Se é para termos alguma esperança, a nossa esperança é escatológica — Deus finalmente renovará este mundo velho e triste.

Jesus é o nosso primeiro lembrete auditivo de que o inverno irá acabar. A sua ressurreição é uma promessa real, de carne e osso.

Mas quando Jesus ascendeu aos céus ele não nos deixou com um mero amuleto para nos lembrar dele até que ele retorne. Ele prometeu continuar agindo. Ele enviou o seu Espírito Santo para o seu povo. A promessa da ressurreição também é que Jesus ainda está trabalhando hoje, nas nossas vidas, no tempo presente. Então vigiamos e esperamos pelo reino vindouro, quando Deus finalmente fará a justiça, mas também vigiamos e esperamos por vislumbres deste reino aqui e agora.

A oração nos ensina este ofício da vigia — não só para o *eschaton*, mas também para a obra de Deus nas nossas vidas diárias. Segundo Rowan Williams, "o observador de pássaros

---

5   THOMPSON III, Bill. "Top 10 long-awaited signs of spring" *Birdwatcher's digest.* <https://www.birdwatchersdigest.com/bwdsite/tag/top-10-long-awaited-signs-of-spring/>

experiente, parado, preparado, alerta, sem tensões ou irritações, sabe que este é o tipo de lugar onde o extraordinário subitamente se manifesta." Ele compara isso com a oração: "às vezes, é claro que isso significa um dia inteiro sentado olhando a chuva sem nada de mais acontecer. Eu suspeito que, para a maioria, boa parte de nossa experiência de oração é exatamente assim [...] E eu acho que viver nessa espécie de expectativa — viver com consciência, com os olhos suficientemente abertos e a sua mente tanto relaxada quanto atenta o suficiente para ver o que vai acontecer — é essencial para o discipulado."[6]

O discipulado cristão é uma vida inteira de treinamento sobre como prestar atenção nas coisas certas, para observar a obra de Deus nas nossas vidas e no mundo. Por meio de muita prática, nós tiramos nosso olhar das distrações e dos medos para nos atentar ao que Deus se atenta. Nós aprendemos a vigiar. Silêncio, quietude e atenção estão cada vez mais raros em nosso mundo crescentemente barulhento, digital e frenético. No seu livro *The Shallows* [Águas rasas], Nicholas Carr mostra como nossos cérebros estão sendo fisicamente reprogramados por nosso uso tecnológico, de modo a aprimorarmos nossa capacidade de absorver pitadas fragmentadas de informações, mas reduzimos a atenção prolongada a qualquer pessoa, argumento ou experiência.[7] A atenção está sob risco crítico de extinção.

A tarefa da igreja é aprender a manter nossos olhos bem abertos para como Deus está agindo. Nos reunimos a cada semana, vigiando à procura do rei vindouro. E com a diligência de uma sociedade de observadores de pássaros, procuramos a glória ignorada em nosso meio — a presença inusitada,

---

6   WILLIAMS, Rowan. *Being disciples*. Grand Rapids: Eerdmans, 2016, p. 5.
7   CARR, Nicholas. *The shallows: what the internet is doing to our brains*. Nova York: WW Norton & Co, 2011, p. 90, 137.

mas regeneradora, de Deus no mundo. Vigiamos à espera de vislumbres da redenção agora ou no porvir. Por meio da oração, do culto público, das Escrituras e dos sacramentos, nós treinamos nosso olhar para notar a luz nas trevas.

✦ ✦ ✦

Quando o próprio Jesus esteve sob um céu escuro, ele fez a mesma oração que fazemos nas completas, quase que palavra por palavra. Ele pediu para que seus amigos vigiassem com ele — como se velassem pelo que vigia.

Na noite anterior a sua morte, Jesus provava a amargura de sua vulnerabilidade total: "A minha alma está tão triste que estou a ponto de morrer; ficai aqui e vigiai comigo" (Mateus 26.38). Então ele pediu a Pedro, Tiago e João que vigiassem com ele. Jesus era o homem esperando pela sentença, a mulher esperando os resultados de sua biópsia, a mãe esperando as notícias do cirurgião. Jesus estava esperando que "a sua hora chegasse": ele estava esperando a sua morte. E com toda a vulnerabilidade comum da fragilidade humana, com os olhos inchados e a alma cansada, ele pediu que seus amigos ficassem com ele.

Mas os seus amigos não vigiaram. Eles caíram no sono.

Então Jesus lhes pediu mais uma vez e desta vez o pedido assume uma urgência espiritual, até cósmica: "Vigiai e orai, para que não entreis em tentação" (Mateus 26.41). Agora ele não estava apenas pedindo que seus amigos acordassem, ele estava lhes chamando para orar, para o estado de alerta *espiritual*, para prestar atenção na verdadeira realidade. Ele estava lhes exortando a observar a história de Deus transcorrendo em seu meio.

E novamente eles caíram no sono.

Esta oração que faço todas as noites — que Deus vele pelos que vigiam — foi feita pelo próprio Deus para a humanidade e não velamos nem vigiamos por ele. Mas Deus demonstrou graça por nossa fraqueza. Ele deixou seus amigos descansarem e, quando a hora chegou, ele lhes acordou.

Jesus ficou sozinho para orar, com lágrimas e sangue, durante aquela longa noite. Por causa disso, podemos pedir a Deus para velar por nós com a plena certeza de que ele de fato vigiará. Ele não vai cair no sono.

Oliver O'Donovan aponta que, embora os salmistas e os profetas do Antigo Testamento regularmente clamem para que Deus desperte, este clamor nunca é feito no Novo Testamento. Deus já agiu decisivamente por meio da encarnação e o chamado não é mais para que Deus aja. Jesus deixou claro: Deus está conosco e ele conhecer a nossa fragilidade e vulnerabilidade tão certamente quanto ele conhece a pele de nossas mãos.

O Novo Testamento clama, por sua vez, que *nós* continuemos despertos para Deus, para que fiquemos alertas para a obra de Deus no mundo. De acordo com O'Donovan, "Deus já despertou, ele já agiu. Tudo que falta agora é que [os fiéis] despertem [...] Dirigido aos cristãos, [o Novo Testamento] enfatiza a necessidade de um estado de alerta constante: Fiquem acordados! Permaneçam firmes! (1Coríntios 16.13), especialmente quanto à persistência na oração."[8]

Como Tiago, João e Pedro, somos chamados a vigiar e orar. Até mesmo, talvez especialmente, nos tempos de trevas. Eu aprendi que, nas trevas, eu precisava procurar mais intencionalmente pelo Auxiliador, pelas formas que Deus está ativamente nos notando e amando.

Eu aprendi a fazer isso por meio da oração. Assim como nossas pupilas dilatam para que mais luz entre, para ver mais

---

8   O`DONOVAN, Oliver. *Self, World, and Time*. V. 1. Coleção Ethics as theology: an introduction. Grand Rapids: Eerdmans, 2013, p. 8.

do que era possível num primeiro momento, a oração ajusta nossos olhos para ver Deus nas trevas.

✦ ✦ ✦

Em 2017, depois de um longo período de evitação e distração, eu lentamente comecei a tirar tempo para chorar e vigiar. Quando o fiz, comecei a ansiar intensamente por beleza e deslumbre.

O velho ditado é verdade: a fome é o melhor tempero. Ao passar pelo mistério da perda, qualquer imagem de beleza, moral ou física, era como maná. Um dia numa caminhada, eu notei um tom específico de amarelo num girassol, parei e fiquei estupefata — o que, para falar a verdade, é bem raro para mim. O Deus que de alguma forma permitiu a peste bubônica também permite girassóis florescerem num tom de amarelo que é o auge da sublimidade.

Uma semana depois do meu segundo aborto espontâneo, eu fiquei em silêncio, com lágrimas saindo dos meus olhos, observando o oceano e perdendo a conta de quantos tons de verde e azul eu via. A própria beleza foi uma mãe para mim, me consolando em seu abraço sem palavras. E o que me chocou naquele momento a ponto de me fazer chorar foi que não tem um lugar aonde ela não vá. Não há um lugar no planeta — nenhuma tristeza é tão profunda — que um raminho verdejante de glória não possa romper o concreto de alguma forma.

A beleza não faz a dor do sofrimento e da vulnerabilidade desaparecer. Não é como se o canto das cigarras e um bom café fizessem você sentir menos a tristeza de perder seu cônjuge ou um amigo, ou mesmo a de um dia ruim. Porém, nos momentos em que pensamos que a angústia e as trevas são tudo que existem no mundo, que nada é amável ou sólido, é que a beleza se torna um lembrete de que há mais nas nossas histórias do que só pecado, dor e morte. Há um brilho eterno. Isso não é suficiente para resolvermos nossas questões ou deixarmos tudo bem amarradinho metafisicamente, mas às vezes é o bastante para nos fazer aguentar mais uma hora. E quando estamos lidando com um mistério, precisamos só da luz suficiente para dar o próximo passo.

Nos meses seguintes aos meus dois abortos espontâneos, eu ainda abençoei e batizei bebês. Como pastora, faz parte do meu trabalho. Algumas das minhas ovelhas me pediam desculpas por pedirem que eu fizesse essa parte do meu trabalho. A sua preocupação era que seria um sal na ferida celebrar as promessas de Deus para os filhos dos outros enquanto eu chorava pela vida dos meus. Admiro essa consideração, mas era exatamente o contrário. Eu me regozijava com cada sugestão de que Deus ainda estava agindo, dando bondade para o mundo, trazendo crianças para si, fazendo risos nascerem. Eu precisava ver que Deus ainda estava presente e ativo, que a igreja ainda testemunhava de um amor fiel e perseverante.

Naqueles meses, as minhas filhas muitas vezes pediam para que eu explicasse por que abortos espontâneos acontecem e eu lhes dizia o que o meu médico favorito me contou. "Para um bebê nascer, mais de dez mil coisas precisam dar certo." E eu adicionaria: "Mas isso também significa que, para você estar viva hoje, mais de dez mil coisas — bem mais — precisaram dar certo." Essa maravilha cativou a minha imaginação. Eu me encontrava no meio de uma multidão, na rua ou na igreja no domingo, e olhava para cada rosto e pensava nas centenas de milhares de coisas que precisaram dar certo para que estivéssemos vivos no mundo, juntos num dia comum. A glória cotidiana de todas as nossas vidas é um presente. Eu colecionava deslumbres, atenta para qualquer sinal de vida, qualquer sugestão de conforto.

O CAMINHO DA VULNERABILIDADE

Esses deslumbres não diminuíam a dor nem um pouquinho. Mas geravam gratidão, que é tão real quanto o luto.

Porém, a beleza e o deslumbramento não eram apenas consoladores. Eram uma alta dose de realidade. A tenacidade da glória e da bondade, mesmo neste mundo sombrio de lágrimas, treina os meus olhos para prestar atenção, para ficar alerta não apenas para as trevas da nossa história, mas também para a luz.

Simone Weil disse que "a atenção absolutamente indivisa é oração."[9] Receber as orações da igreja nos treina no caminho da atenção indivisa. Aprendemos a ser um povo que nota, que vigia até que a graça de Deus apareça em nossas vidas diárias. Os cristãos, como todo mundo, ficam ocupados e distraídos. Nós deixamos de notar. A oração diária não me fez pular de enlevo a enlevo espiritual. Mas uma prática regular de oração corrige a nossa visão com o tempo. Aprendemos a observar tudo que está ao nosso redor a cada minuto — misericórdia, beleza, mistério e um Deus que nunca deixa de esperar e vigiar conosco.

---

9   WEIL, Simone. "Attention and will" in MILES, Sian (ed.) *Simone Weil: an anthology.* Nova York: Grove Books, 2000, p. 212.

5

OS QUE TRABALHAM

Restauração

Somos pó e ao pó tornaremos. Mas antes trabalhamos.

Deixamos as nossas pequenas marcas no mundo. A maioria delas será apagada, tão certamente quanto os desenhos das minhas filhas na calçada sumirão depois de uma chuva pesada. Mas o nosso trabalho importa, assim como aquelas borboletas e arco-íris de giz importam para mim e para as minhas filhas. O nosso trabalho — pago ou não, entediante ou alegre, raro ou comum — faz a diferença. Bem-feito, ele soma verdade, beleza e bondade ao mundo. Ele afasta as trevas.

A maioria das orações das completas surgiram antes da eletricidade e da conectividade 24 horas. Quando o mundo era iluminado por tochas, a maior parte do trabalho noturno era o trabalho de crise — emergências, doenças graves, defesas contra intrusos ou exércitos. Mas esse não era o único trabalho feito à noite. De tempos em tempos, a classe pobre e trabalhadora acordava no meio da noite para reacender tochas ou realizar outras tarefas domésticas. Os eruditos estudavam à luz tremulante de velas. Parteiras guiavam novas vidas ao

O CAMINHO DA VULNERABILIDADE

mundo. Mães acordavam para amamentar ou tranquilizar seus filhos. E monges faziam seu trabalho de oração.[1]

O nosso trabalho nos costura como raça humana, dependentes e interconectados. Todos nós dependemos do trabalho de outras pessoas. Nós contamos com aqueles que muitas vezes são inominados e invisíveis para nós. Uma oração anglicana para a noite diz: "Vela sobre aqueles que, tanto à noite quanto de dia, trabalham enquanto outros dormem e concede-nos que possamos nunca esquecer que nossa vida depende do labor uns dos outros; por Jesus Cristo, nosso Senhor."

A nossa vida comum depende do labor uns dos outros. Precisamos uns dos outros. Precisamos que as outras pessoas façam um trabalho bem feito.

Um dos dons da vulnerabilidade é que não nos bastamos sozinhos. Não passaríamos do dia 1 por nós mesmos. Fomos feitos para depender de outras pessoas e nossa necessidade sempre presente garante isso, queiramos ou não. Nenhum de nós pode ser totalmente autossuficiente. Independência é morte.

Antes mesmo dos primeiros acordes dissonantes soarem na música da humanidade, quando tudo era como deveria

---

1   A. Roger Ekirch observa que a maioria das pessoas na Idade Média não trabalhava à noite. Na verdade, o trabalho noturno era proibido na maior parte das profissões. Todavia, algumas pessoas tinham de trabalhar à noite e isso acontecia principalmente com os pobres. Mas ele observa que isso apenas se tornou mais comum no começo da modernidade. Além disso, mesmo se as pessoas não estivessem trabalhando à noite, elas também não ficavam dormindo o tempo todo. Ekirch descreve a distinção discutível entre "primeiro sono" e "segundo sono" que começa a desaparecer a partir do século 17. O período entre esses sonos era chamado às vezes de "vigília". Embora isso seja interessante para o tópico deste livro, não é imediatamente relevante para nós hoje, então eu não incluí uma discussão disso. EKIRCH, A. Roger. *At day's close: night in times past*. Nova York: W.W. Norton, 2005, p. 155-156, 300-305.

ser e não conhecíamos sofrimento ou dor, ainda não éramos autossuficientes. Não é bom que o homem esteja só. Na nossa mais pura humanidade, fomos interdependentes e necessitados. Dependíamos de Deus e de outras pessoas. E trabalhávamos. Na verdade, trabalhávamos juntos — a nossa vida comum dependia do trabalho uns dos outros.

Há muitas pinturas de Adão e Eva no jardim, felizes e nus, mas poucos lhes retratam trabalhando de qualquer forma.[2] É como se não pudéssemos imaginar o trabalho sem enfado, como se o paraíso necessariamente excluísse reuniões de escritório e tarefas domésticas (confesso que Adão e Eva realmente não precisariam lavar roupa). Porém, mesmo na perfeição, Adão e Eva trabalharam.

Fomos feitos para compartilhar uma vida comum de trabalho e criatividade. E, após a redenção de todas as coisas, não nos tornaremos subitamente o super-homem e a supermulher, autônomos e autossuficientes. Nunca deixaremos de ser necessitados. Nunca pararemos de necessitar de Deus e das outras pessoas. O nosso *telos* é a comunidade, não a autossuficiência. É uma festa, uma vida compartilhada.

Mesmo agora, trabalhamos com essa visão de redenção. Choramos e vigiamos, mas não paramos aí. Não adotamos uma postura passiva em relação à renovação do mundo. A nossa vulnerabilidade humana compartilhada nos convoca à ação — ao trabalho. A nossa resposta à vulnerabilidade humana é sempre, em parte, buscar mitigá-la, tornar o mundo, ainda que levemente, mais pacífico, seguro, belo, justo e verdadeiro.

---

2   Agradeço a Kirk Botula por esta ideia. Ele ressaltou este ponto numa palestra na Jubilee Professional alguns anos atrás. Ele mostra que há muitas imagens de Adão e Eva antes da queda e algumas delas com eles trabalhando depois da queda, mas relativamente poucas com eles trabalhando antes da queda.

O CAMINHO DA VULNERABILIDADE

Por meio de nossas vocações, buscamos amar ao próximo de forma corpórea e prática. Fazemos isso com os nossos empregos — o chamado de aliviar o sofrimento gera boa parte de nossas vocações, da paternidade a apagar incêndios e ensinar ioga, de política a medicina e serviço social. E fazemos isso como igreja. Por dois milênios, os cristãos têm fundado hospitais, orfanatos, institutos para pessoas com deficiência e pobres, escolas e universidades.[3] Além disso, cuidamos daqueles que estão feridos na nossa vida diária. Tomamos conta uns dos outros de milhares de formas sutis e despercebidas. Em 2017, membros da nossa igreja vinham a minha casa para trazer refeições, material de desenhar para meus filhos e, uma vez, uma garrafa de uísque. Eles nos ajudaram a carregar o nosso fardo.

Entretanto, o trabalho bem-feito no escuro — diante de nossa vulnerabilidade e fraqueza — não é feito apenas por nosso desejo de aliviar o sofrimento. Ele também surge de nosso desejo de desafiá-lo, de criar beleza a partir das cinzas.

Na semana que descobri que nosso segundo filho tinha morrido no meu útero, a minha amiga Katy veio me visitar de Nashville, trazendo consolo e boas conversas em meio a minha perda. Mas ela teve de cancelar porque ela descobriu naquela mesma semana que tinha uma forma aguda de câncer. Eu chorei quando contei as notícias para

---

3   A literatura da filantropia dos primeiros cristãos é gigantesca. Aqui estão algumas introduções acessíveis: SCHMIDT, Alvin. *How Christianity changed the world.* Grand Rapis: Zondervan, 2009; HOLLAND, Tom. *Dominion.* Nova York: Basic Books, 2019; HOLMAN, Susan (ed.) *Wealth and poverty in early church and society.* Grand Rapids: Baker Academic, 2008; HART, David Bentley, *The story of Christianity.* Nova York: Hachette, 2013; MILLER, Timothy. *The birth of the hospital in the Byzantine Empire.* Baltimore: John Hopkins University Press, 1997.

o meu marido; ele chorou quando pediu que nossas filhas orassem pela Katy.

Depois de seu diagnóstico, a Katy imediatamente entrou em meses de quimioterapia. À medida que aquele veneno salva-vidas entrava no seu corpo, ela escrevia poesia.[4] Katy é poeta e a ameaça da morte não iria impedi-la de criar beleza. Faça chuva, faça sol. Ou faça quimioterapia.

O seu trabalho era uma forma de construir algo resplandecente e permanente a partir da dor. Dessa forma, ela não permitira que as trevas tivessem a palavra final. Trabalhamos para trazer justiça para o mundo, para trazer ajuda na crise, mas também trabalhamos por beleza, risos e leveza, por puro prazer. Pintamos, costuramos, cozinhamos, atuamos e fazemos *stand-up*. Todas essas formas de trabalho participam do conserto de Deus deste mundo quebrado.

✦ ✦ ✦

Ao orarmos pelos que trabalham, mantemos duas realidades em tensão: o nosso trabalho participa da obra de Deus de fazer luz nas trevas, mas todo trabalho humano continua, enquanto isso, em meio a trevas bem reais.

Oramos por quem trabalha e sabemos que o próprio trabalho frequentemente é um lugar de futilidade, onde batemos de frente com o estado miserável deste mundo. Experimentamos o que as Escrituras chamam de "vaidade" (Eclesiastes 2.17-26). Semeamos e aparentemente não colhemos. Falhamos.

As Escrituras constantemente distinguem entre o bom trabalho para o qual fomos feitos e a presença de trabalho "vão" em nossas vidas, os cardos e abrolhos literais e metafóricos

---

4   Você pode comprar o livro dela neste site: <https://www.katyhutson.com/limited-edition-poetry-book>

O CAMINHO DA VULNERABILIDADE

que tornam o próprio trabalho fonte de dor. A Bíblia está cheia de lamento por causa desse trabalho vão em específico — principalmente em Eclesiastes. O autor de Eclesiastes diz que ele detestara a vida por causa desse trabalho (2.17), que é "vaidade e correr atrás do vento" (1.12—6.9). Esses versículos não dão uma boa frase motivacional para um pôster do nosso cubículo no escritório, mas as Escrituras não enfeitam as palavras sobre o fato de que o nosso trabalho frequentemente é decepcionante, cansativo, ingrato, sem sentido e até opressivo e degradante.

Uma amiga minha cujo marido tem um emprego aparentemente fantástico na área de tecnologia me disse que ele muitas vezes não consegue dormir à noite porque ele está preocupado com o seu trabalho. No seu campo, dentre o glamour de gênios, startups e empolgação juvenil, as pessoas são recursos perecíveis — um trimestre bom significa mais contratação; um trimestre ruim, mais demissão. A maior parte do trabalho acontece em indústrias onde, de uma forma ou outra, nossa saúde, presença, vida doméstica, limites e humanidade não são valorizados.

A maior parte de nós acorda ansiosa, preocupada com nossos empregos. Outros tantos ficam até tarde adicionando freneticamente algumas horas a mais, tentando se salvaguardar contra nossa dispensabilidade.

Porém, mesmo com cada experiência de vaidade, frustração e futilidade em nosso trabalho, é evidente que alguns sofrem mais do que outros — e frequentemente se trata daqueles que trabalham enquanto dormimos. Embora todos os setores da sociedade tenham passado a trabalhar cada vez mais à noite, os mais jovens, mais pobres e menos diplomados provavelmente são os que trabalham um número desproporcional de horas noturnas. O *Washington Post* explica que ser um imigrante nos Estados Unidos frequentemente significa "não só fazer os trabalhos que muitos americanos desprezam, mas também trabalhar nas horas que muitos americanos recusam."[5] Quando oramos por quem trabalha à noite, muitas vezes oramos pelos pobres, pelos marginalizados e pelos mais vulneráveis da nossa sociedade.

Na realidade escatológica pela qual esperamos e vigiamos, o próprio trabalho será renovado. Isaías 65 fala de Deus criando novos céus e nova terra, onde o trabalho não mais será marcado pela vaidade. Não é que vamos parar de trabalhar, como se fôssemos gastar a eternidade deitados num sofá comendo Cheetos e assistindo tudo que tem na Netflix. Pelo contrário, o Senhor diz: "os meus escolhidos esbanjarão o fruto do seu trabalho" (Isaías 65.22, NVI). Ninguém trabalhará em vão. Em *Signs amid the rubble* [Sinais nas ruínas], Lesslie Newbigin escreve que não serão apenas nossos corpos que ressuscitarão, mas também o nosso trabalho: "Todo trabalho fiel dos servos de Deus que o tempo parece ter sepultado no pó do fracasso será ressuscitado, será visto ali, transfigurado, neste Novo Reino [...] Seu trabalho não será perdido, mas achado, com seu lugar reservado no Reino consumado."[6]

O nosso trabalho foi feito para sempre ser uma fonte de bênçãos, abundância e alegria que ressoa por toda a eternidade. Ao chorarmos com a miséria e futilidade do trabalho e vigiarmos pelo dia que Deus restaurará todas as coisas, também trabalhamos, com os dons, influência e capacidade limitados

---

5   JAN, Tracy. "They said I was going to work like a donkey. I was grateful" *Washington Post.* 11 de julho de 2017. < https://www.washingtonpost.com/news/wonk/wp/2017/07/11/they-said-i-was-going-to-work-like-a-donkey-i-was-grateful/>

6   NEWBIGIN, Lesslie. *Signs amid the rubble.* Grand Rapids: Eerdmans, 2003, p. 47.

que Deus nos deu, para a renovação do próprio trabalho e dos sistemas laborais e comerciais neste mundo.

✦ ✦ ✦

A própria oração é um tipo de trabalho e nos envia para trabalhar no mundo.

Para o cristão, as posturas de oração e trabalho estão entrelaçadas: *ora et labora*, orar e trabalhar. Trabalhamos enquanto oramos e oramos enquanto trabalhamos. E nossa oração e nosso trabalho transformam um ao outro.

Contudo, podemos enganosamente opor a oração ao trabalho, como se um tornasse o outro desnecessário. Atualmente tendemos a entender que realizações são *ou* nosso trabalho *ou* trabalho de Deus, mas nunca ambos.[7] Viemos a acreditar sutilmente, portanto, que a nossa agência estará em competição com a agência de Deus. Acreditamos na mentira de que bondade, verdade, beleza, cura e justiça são conquistas apenas de nosso esforço ou são privilégios que só Deus pode dar, sem qualquer colaboração da nossa parte. Assim, Deus é tão útil quanto um milagreiro ou um pênalti no último minuto de jogo. Ele é um mago a quem podemos pedir um atalho com sinais e maravilhas quando não damos conta do recado. Com essa forma de pensar, embora às vezes invoquemos Deus para agir quando nos sentimos desesperados, estamos por nossa conta na maior parte do tempo. Na correria da vida, no passar roupa e na produção de leis, na economia e na engenharia florestal,

---

7   Os acadêmicos debatem a fonte dessa ideia, mas parece haver um consenso geral de que suas origens no humanismo renascentista geraram o que Louis Dupré chamou de "passagem para a modernidade". DUPRÉ. *Passage to modernity*. New Haven: Yale University Press, 1993, especialmente p. 113 e 125. Ver também GILLESPIE, Michael Allen. *The theological origins of modernity*. Chicago: University of Chicago Press, 2008, p. 32-35.

na medicina e na maternidade, na drenagem e na diplomacia, Deus está ausente a maior parte do tempo.

Esse tipo de agência competitiva se ilustra numa piada do comediante escocês Daniel Sloss (de que eu gosto bastante, a despeito de sua metafísica). Sloss fala sobre como é frustrante para os pais gastarem tempo, esforço e dinheiro em seus presentes de Natal para que o Papai Noel ganhe todo o crédito. Então ele diz:

— É exatamente assim que os médicos sentem quando você agradece a Deus. — Ele imita um paciente de câncer que conseguiu a remissão:

— Ah, graças a Deus.

O médico responde:

— Olha, engraçado isso. Eu não vi o nome dele no seu prontuário. Mas você pode ver o meu bem aqui: Dr. Michael.

O paciente contra-argumenta:

— O Senhor te enviou!

O doutor replica (com a plateia morrendo de rir):

— Ele certamente não me ajudou na parte da faculdade de medicina.

Deus deu o câncer; o médico o curou.[8]

Se aceitarmos as lentes de agência competitiva, Deus ganha toda a culpa e nada do crédito. Ele é responsável pelo câncer, pelos tsunamis e pelos acidentes de carro, enquanto nós merecemos todo o agradecimento pela cura, pela reconstrução e pelos dispositivos de segurança.

Essa forma de entender o mundo seria inconcebível pela maior parte da história humana. O trabalho de Deus não era entendido como separado, nem como em competição com o nosso; ele era a própria vida do qual todo trabalho frutífero

---

8   SLOSS, Daniel. "Dark". Netflix, 2018.

fluía.[9] Deus não existia para preencher as lacunas do que não conseguimos conquistar pelo nosso trabalho. O entendimento cristão da agência é que toda boa obra é uma participação da vida do próprio Deus. É o nosso ato de cooperação com o sustentador do universo. Ele se segue da oração e retorna à oração.

O pressuposto da agência competitiva afeta todos nós, mesmo os cristãos, de modo que, às vezes, podemos ver a oração como um ato passivo. Esperamos uma intervenção, um conserto miraculoso da parte de Deus. Deus realmente faz milagres, mas parece distante e atrasado, deixando a manutenção diária do mundo para nós.

Ou reduzimos à oração a um momento pessoal de conforto e piedade. Deus é o salva-vidas santificado, um intervalo do mundão maldoso de trabalho, política e necessidade.

A oração então ou é uma fuga ou uma forma de magicamente preencher aquele espacinho que o nosso trabalho falhou em preencher.

Porém, se Deus está por trás, debaixo e permeando todo bom trabalho e todo momento de nossas vidas, a oração nunca é um ato piedoso meramente "espiritual", a alguns pés do chão, divorciado do trabalho real deste mundo. Quando oramos por cura, redenção, paz, justiça, estamos orando por quem trabalha — por cientistas, médicos, poetas, artesãos, pesquisadores, caixas de supermercado, fazendeiros, políticos e pilotos — homens e mulheres reais e finitos por quem Deus traz a renovação.

Orar desse jeito muda como trabalhamos. Podemos fazer nosso trabalho cotidiano sabendo que participaremos por meio dele da obra eterna de Deus. Podemos assumir nossas vocações não só para ter sucesso, ganhar o contracheque ou fazer o nosso nome, mas a partir de um descanso em Deus.

---

9   ROSOLINO, Justin. *Idiot, sojourning soul: a post-secular pilgrimage*. Eugene: Resource Publications, 2020, 124.

Os que trabalham

Essa visão de trabalho também muda a oração. A prática da oração se torna um impulso, energizando nossa participação no trabalho de Deus.

O professor de Harvard Steven Pinker, no livro *O novo iluminismo: em defesa da razão, da ciência e do humanismo*, esboça como nossas vidas melhoraram por conta da razão, especialmente da ciência e da tecnologia. Pinker explicitamente opõe oração e progresso. Ele diz:

> O *Homo sapiens*, sempre criativo, desde muito lutou contra a doença com charlatanismos como a tal da oração [...] Mas, começando no final do século 18 com a invenção das vacinas, e acelerando no século 19 com a aceitação da teoria microbiana das doenças, a mesa virou. Lavar as mãos, obstetrícia, controle de mosquitos e especialmente a proteção da água potável por saneamento básico e a adição de cloro salvariam bilhões de vidas.[10]

Pinker presume que a oração — e o próprio Deus — pertence a uma dimensão diferente de lavar as mãos, teoria microbiana ou saneamento básico. Tanto crentes quanto incrédulos podem cair nessa forma de pensar. Isolamos a oração, pensando ser "charlatanismo", ou não, do trabalho duro humano, dos saltos tecnológicos ou do processo legislativo.

Uma noite, eu desci para o andar de baixo da minha casa e me surpreendi com Jonathan chorando enquanto lia — se desfazendo em lágrimas com a bondade e generosidade de Deus. Mas ele não estava lendo a Bíblia ou os pais da igreja. Ele estava lendo esse livro do Pinker, *O novo iluminismo*. Eu comecei a rir. À medida que meu marido lia sobre as bilhões de vidas que foram salvas por meio de água limpa e da medicina

---

10   PINKER, Steven. *O novo iluminismo: em defesa da razão, da ciência e do humanismo*. São Paulo: Companhia das Letras, 2018.

moderna, ele viu o trabalho de Deus permeando o trabalho humano. Steven Pinker e Jonathan tinham os mesmos dados, mas as suas narrativas sobre a realidade organizavam os dados de duas formas completamente diferentes. Onde Pinker viu charlatanismo, Jonathan viu glória. Ele estava transbordando de deslumbre ao considerar que Deus encheria este mundo triste de curas tão maravilhosas, dando a homens e mulheres o privilégio de participar desse trabalho. A história cristã nos faz ousar crer que a obra da oração não é tão distante do presente da rede de esgotos, e que levantar as mãos em oração e lavá-las por recomendação científica fluem da mesma fonte compartilhada. O nosso trabalho de oração participa e propulsiona o nosso trabalho público de restauração.

Eu fui capelã universitária para o corpo discente e docente da pós-graduação por cerca de uma década. Eu observei cristãos que trabalham em saúde pública, pesquisa, literatura e artes harmonizarem seu trabalho e culto. As suas vidas eram um desafio para qualquer ideia de agência competitiva. Um dos meus ex-alunos, uma física, me contou que não via conflito entre sua pesquisa científica e o trabalho de oração, entre o que ela chamava de "causas naturais e observáveis e a ação divina." Segundo ela, era muito gratificante ver que um Deus incompreensível escolheu fazer as coisas de um jeito compreensível, um jeito que podemos aprender, dominar e participar.

Uma vantagem de ser pastora numa igreja perto de hospitais universitários e universidades é que eu regularmente assisto em primeira mão as pessoas mais espertas deste mundo abraçarem oração e trabalho redentivo ao mesmo tempo. Um amigo que frequenta a minha igreja, Noel, se preparou e estudou, nos Estados Unidos, por décadas para estar entre a seleta dúzia que pode fazer um tipo específico de cirurgia pediátrica. Às vezes, suas cirurgias duram mais de dez horas. Elas são complexas, intensas e extenuantes. Num dia assim, você pode encontrar Noel na sala de descanso do hospital, orando. Grudada na porta de seu armário cirúrgico, você pode encontrar uma liturgia para ele orar antes e durante a cirurgia. Encorajado por seu diretor espiritual, Noel a escreveu, a partir do Livro de Oração Comum e da Escritura. Ele sussurra: "Concede-me, ó Senhor, por amor do teu nome, por meio da obra do teu Espírito Santo, amor pelo meu paciente, alegria em participar da tua obra, paz ao seguir tua orientação, paciência nas tribulações deste caso, gentileza [...] para com todos na sala cirúrgica, bondade nesta tarefa difícil, fidelidade para ter integridade nos detalhes que ninguém nota senão o Senhor [...] e domínio próprio para que meus pecados de ira, ansiedade e vanglória não corrompam meu juízo." Ele ora por seu paciente pelo nome. Ele então se veste novamente e continua a cirurgia.

Seus pacientes o celebram. Um pai disse simplesmente: "Ele salvou a vida da minha filha." Mas Noel me diz que seu trabalho é simplesmente uma oportunidade de ser "um ministro da graça comum". Então, enquanto o sol se põe ao fim de um longo dia, ele termina seu trabalho. Uma criança foi ajudada e curada. E um homem tira sua máscara cirúrgica e exala uma oração de ação de graças porque ele pode participar na restauração de Deus e porque seu trabalho pode ser parte do trabalho do próprio Deus. Meu amigo trabalha como quem ora e ora como quem trabalha.

✦ ✦ ✦

Conjuntamente trabalhar, vigiar e orar são uma forma de suportar o mistério da teodiceia. Trata-se de uma resposta fiel a nossa tragédia humana comum, mas somente quando fazemos os três *juntos*, dando espaço e energia a cada um, tanto como indivíduos quanto como igreja.

Se diante de perdas ou fracassos, entramos imediatamente no modo trabalho — soluções, atividades, protocolos e planos — sem dar espaço para o luto ou atenção a Deus, nosso trabalho será compulsivo, insano e vão. (É por isso, aliás, que eu reverti a ordem da oração e comecei com chorar. Exceto em emergências, normalmente é sábio não ir direto para o trabalho.) Se vigiamos à procura da restauração de Deus sem chorar e trabalhar, minimizamos as necessidades urgentes do mundo e nos tornamos sentimentais, apáticos ou passivos. Se choramos sem vigiar pela vinda do reino e pela participação da obra de Deus, caímos no desespero. Adotar as práticas de choro e vigilância nos compele a trabalhar e o nosso trabalho é moldado e santificado por sermos pessoas que, por meio de práticas corpóreas e habituais, aprenderam a chorar e a vigiar.

✦ ✦ ✦

Deus entrou neste mundo de trabalho vão e fez um belo trabalho. Jesus chorou, vigiou e trabalhou. Ele fez os três juntos.

Ele curou pessoas e expulsou demônios. Ele aliviou o sofrimento deste mundo. Não de forma permanente — as pessoas ainda adoecem. As pessoas ainda adoeciam mesmo quando ele andava sobre a terra. Francis Spufford aponta que, mesmo com todas as curas que Jesus fez, ele mudou em poucos dígitos o número de leprosos do antigo Oriente Médio ou o número de mulheres com hemorragia ou o número de mortos.[11] Todavia, por meio do seu trabalho, Jesus nos mostrou como é o reino de Deus: no reino de Deus, as pessoas são curadas, perdoadas, restauradas e reintegradas.

---

11   SPUFFORD, Francis. *Unapologetic*. Nova York: HarperOne, 2013, p. 133.

Jesus também passou tempo — décadas na verdade — construindo coisas. Jesus era um comerciante. Ele é chamado de *tekton* (Marcos 6.3), um construtor que usa suas mãos. Deus veio à terra e aparentemente pensou que valia a pena pegar um pouco de madeira, pedra ou ferro e fazer algo com isso.[12] E o que ele fez? Não temos ideia. Aparentemente, nada que mudou o mundo a ponto de continuar existindo. Porém, neste mundo sombrio, onde homens e mulheres morrem, onde os pobres sofrem, onde injustiça predomina em um império vasto e violento, Deus se tornou carne e fez móveis de casa. Durante todas essas décadas que ele passou construindo coisas, ele não estava pregando, curando ou limpando tempos. Ele não começou um movimento ou ressuscitou os mortos. A luz veio às trevas e fez um trabalho comum.

Tudo que Jesus fez era redentivo. Não só o que impressionou as multidões — alimentar as multidões, o Sermão do Monte, ressuscitar a filha de Jairo —, mas também sua insignificante profissão.

Os evangelhos nos mostram o ritmo de Jesus de fazer o trabalho no seu ministério público e, então, como Lucas diz, "Jesus retirava-se para lugares solitários e orava" (Lucas 5.16). O seu trabalho de oração lhe fazia voltar para sua vida ativa de trabalho, o que, por sua vez, lhe fazia voltar para o trabalho de oração.

O trabalho de Jesus, no final das contas, o levou à cruz, o ponto de encontro de chorar, vigiar e trabalhar.

Na cruz, Jesus chorou nas trevas enquanto vigiava à espera da alvorada de um novo mundo, o qual nasceria por meio de seu trabalho ali.

---

12   BORING, M. Eugene. *Mark: a commentary.* New Testament Library. Louisville: Westminster John Knox, 2006, p. 164-165.

O CAMINHO DA VULNERABILIDADE

Mesmo agora, depois da ressurreição e da ascensão, Deus misteriosamente continua chorando, vigiando e trabalhando. A obra de Jesus aqui na terra e lá no céu — que não é um lugar distante, e sim mais próximo de nós que nossos corpos — não são completamente separadas. A sua obra na encarnação e depois de sua ascensão são diferentes, mas não dissonantes. Na sua vida na terra, vislumbramos a obra contínua de Deus mesmo agora.

Neste momento, Cristo trabalha orando, intercedendo por nós.

Ele não chora como nós choramos, mas, como nosso Amigo e Redentor, ele entra no nosso choro.

Ele vigia conosco, não como nós vigiamos, mas numa atenção santa e perfeita, ele vigia com uma absorção total e amorosa cada pardal que cai, cada alga que flutua pelo assoalho do oceano, cada mitocôndria que ajunta nutrientes em nossas células.

E ele trabalha para nos restaurar. Em galáxias e impérios, em nossas ruas, casas e escritórios, e nas nossas camas à noite, ele trabalha para renovar tudo que jamais existiu.

PARTE 3

UMA TAXONOMIA DE VULNERABILIDADES

O mundo está deveras repleto de perigos e há nele muitos lugares escuros; mas ainda existe muita coisa que é bela, e, por muito que em todas as terras o amor já esteja mesclado ao pesar, talvez ele se torne maior.

J.R.R. TOLKIEN,
O SENHOR DOS ANÉIS: A SOCIEDADE DO ANEL

Cai a noite, abre o pensamento

O FANTASMA DA ÓPERA, MÚSICA DA ESCURIDÃO
(VERSÃO BRASILEIRA)

6

MANDA QUE TEUS ANJOS GUARDEM OS QUE DORMEM

Cosmos e lugar comum

Por cerca de quinze anos, eu esqueci que anjos existiam.[1]
Não é bem que eu tinha decidido que não acreditava mais neles, eu simplesmente não pensava sobre eles e, se pensava, era uma ideia passageira sobre como é brega a forma que eles são representados.

Eu redescobri os anjos ao colocar um neném para dormir à noite.

Quando minha primeira filha tinha acabado de nascer, eu notei, certa noite, para minha surpresa, que sem perceber eu tinha criado o hábito de pedir para Deus enviar seus anjos para protegê-la.

---

1   Partes deste capítulo foram adaptadas de WARREN, Tish Harrison. "Angels we ignore on high". *Christianity Today*. 20 de dezembro de 2013. <https://www.christianitytoday.com/ct/2013/december-web-only/angels-we-ignore-on-high.html>

UMA TAXONOMIA DE VULNERABILIDADES

Naquela época, eu trabalhava na Vanderbilt University e costumava frequentar um café-livraria ortodoxo grego perto do campus chamado de Alektor Café. Eu amava sua beleza serena, seus livros antigos e seu molho vegetariano. Eu conheci ali o Padre Parthenios, um padre antioquino, e sua esposa (conhecida por todos simplesmente como "presbítera" ou "a esposa do padre"), que eram os donos do local. Uma tarde, no fim da minha gravidez, a presbítera me entregou um ícone de um anjo e me disse que era para o meu bebê. Eu agradeci a sua gentileza, mas não me comovi espiritualmente tanto assim. Eu sou protestante, afinal. Naquela época, eu não sentia um ceticismo muito forte com ícones ou anjos, mas também não sentia uma profunda conexão com eles. Ainda assim, eu preguei com uma tacha o pequeno ícone de madeira na parede do quarto da minha filha.

Meses depois, ao orar por minha filha antes de colocá-la no berço a cada noite, eu me lembrava do ícone e pedia para que os anjos estivessem perto dela e a protegessem. Eu não sei o que mudou, se foi a minha mente ou o meu coração. Eu não entendi como orar sobre anjos lentamente ferveu dentro de mim e de repente se tornou plausível e natural. A minha única explicação é que a enorme responsabilidade — e amor e vulnerabilidade — da maternidade abriu o meu coração para pedir ajuda onde quer que encontrasse. E ali estava aquele anjo silencioso, com sua aparência forte e antiga, encarando a mim e a minha filha a cada noite ao nos sentarmos naquele quartinho escuro. A prática da oração, a gentileza da presbítera e a certeza tranquila do ícone conspiraram com o meu anseio maternal de preceder e moldar a minha crença. O meu ceticismo silenciosamente se foi.

A maternidade trouxe um novo nível de ansiedade. Eu tinha uma forte sensação da pequeneza e fragilidade da minha filha neste imenso cosmos e sabia que toda paixão do meu amor maternal não era suficiente para protegê-la. Eu era pequena e frágil também. Contudo, em nossa casa ordinária, na vasta escuridão da noite, eu acreditei que não estava sozinha.

✦ ✦ ✦

A oração das completas nos desafia a acreditar num cosmos tumultuado.

Nenhum de nós vem a acreditar no que acredita sozinho. O mundo não tem livres pensadores. A nossa imaginação sobre quem somos e sobre o que o universo é se vê profundamente moldada por quem está ao nosso redor e pela cultura que vivemos. Depois do iluminismo, a imaginação coletiva do Ocidente esvaziou o cosmos da vida sobrenatural, assim como o desmatamento tirou o cervo-do-pantanal do Pantanal.[2]

---

2   O desencanto do mundo e literalmente o seu esvaziamento se relacionam entre si, como vários acadêmicos já apontaram. Steven Vogel escreve: "O projeto do iluminismo almejava acima de tudo o *domínio da natureza*. A natureza, desencantada e objetificada, aparecia agora sob a guisa de uma matéria sem sentido, é considerada pelo iluminismo como algo simplesmente a ser superado e controlado para fins humanos e não como sendo algo que precisa ser imitado, propiciado ou celebrado religiosamente [...] A posição dos próprios seres humanos como *parte* dessa natureza que o pensamento mítico insistira e a mimese expressara foi assim esquecida. O resultado é uma separação fundamental entre seres humanos e natureza." VOGEL, Steven. *Against nature: the concept of nature in critical theory.* Albany: State University of New York Press, 1996, p. 52. Alister McGrath diz que essa ideia desencantada de natureza às vezes é associada com o cristianismo, mas na verdade ela é estranha a como as Escrituras e a tradição cristã descrevem a natureza. MCGRATH, Alister. *The reenchantment of nature: the denial of religion and the ecological crisis.* Nova York: Doubleday, 2002. Ver também BAUCKHAM, Richard. *The Bible and ecology: rediscovering the community of creation.* Waco: Baylor University Press, 2010.

UMA TAXONOMIA DE VULNERABILIDADES

Por padrão, ainda que inconscientemente, imaginamos o cosmos como um mar deserto no qual estamos sozinhos à deriva. A maior parte de nós que estudou um pouco na nossa formação — inclusive os cristãos — vive como se Deus estivesse distante e o mundo fosse nosso para o controlarmos. Ele não está cheio de encanto, não está multiplicando com mistérios e certamente não está lotado de anjos.

Mas nem sempre foi assim. A igreja durante a história imaginou um universo cheinho de anjos e antigos líderes cristãos falavam bastante sobre anjos — sinceramente, bem mais do que eu gostaria. Tomás de Aquino os chamava de "criaturas intelectuais" ou "criaturas incorpóreas".[3] Dionísio, o areopagita, no século quinto, escreveu: "os anjos contam milhares de milhares, dez milhares de dez milhares [...] tão numerosos são os benditos exércitos de seres transcendentes inteligentes que ultrapassam o campo frágil e limitado de nossos números físicos."[4] Hilário de Poitiers escreveu que "tudo que parece vazio está cheio de anjos de Deus e não há espaço que não seja habitado por eles à medida que ministram."[5]

Não posso imaginar como é viver com esta visão do universo, onde você pode sair andando num dia comum e esbarrar com milhares de anjos. O que se presumiu por séculos — que o universo está zumbindo de vida divina — é algo que não tenho fé suficiente para acreditar. Contudo, a minha ambivalência sobre os anjos não se deve à razão. Ela vem do déficit da minha imaginação, uma imaginação formada por um desencanto do mundo — o oceano vazio do cosmos. Mesmo confessando

---

3   TOMÁS DE AQUINO. *Suma teológica.* I, q. 50, r. 1.
4   PSEUDO-DIONÍSIO. *The celestial hierarchy* In *The complete works.* Nova York: Paulist Press, 1987, 321A, 181.
5   Hilário de Poitiers, como citado em DANIELOU, Jean. *The angels and their mission.* Manchester: Sophia Institute Press, 2009, p. 90.

o contrário, dificilmente eu sou cativada especificamente por um mundo além do que posso ver, ouvir, cheirar, degustar e tocar. Com isso vem a perda do deslumbramento. É raro eu parar para considerar que o universo — e até a minha casinha — está encharcado da presença de Deus e cheio até a borda com mistérios espirituais. No seu livro *Recapturing the wonder*, Mike Cosper escreve: "cristãos e não cristãos são igualmente desencantados, porque estamos todos imersos em um mundo que apresenta um entendimento material da realidade como a forma plausível e adulta de se pensar."[6]

Admito que acreditar no sobrenatural pode ser um pouco vergonhoso nos meus círculos urbanos — especialmente o sobrenatural mais tradicional. Sem ser daqueles mais vagamente exóticos, de tendência Nova Era. São anjos. Sério que você acredita nisso? Isso não é coisa de figurinhas bregas que estão na estante daquela tia carola? Em sua introdução para *Cartas de um diabo a seu aprendiz*, C.S. Lewis escreveu:

> Nas artes plásticas, esses símbolos se degeneraram progressivamente. Os anjos de Fra Angelico carregam na sua face e nos seus gestos a paz e a autoridade dos céus. Posteriormente, vêm os nus infantis rechonchudos de Rafael; finalmente os delicados, magros, efeminados e consoladores anjos da arte do século 19, com silhuetas tão femininas que só não são sensuais devido a sua completa insipidez.[7]

Dentre doces querubins de porcelana e John Travolta dançando ao som de Aretha Franklin em *Anjo e sedutor*, não

---

6   COSPER, Mike. *Recapturing the wonder: transcendent faith in a disenchanted world*. Downers Grove: InterVarsity Press, 2017, p. 10.

7   LEWIS, C.S. *The screwtape letters and screwtape proposes a toast*. Nova York: MacMillan, 1961, viii. [Edição em português: *Cartas de um diabo a seu aprendiz*. Rio de Janeiro: Thomas Nelson Brasil, 2017].

é que eu rejeitava a crença em anjos em si, mas sim que eles foram drenados de realidade na minha cabeça. Eles tinham se tornado bobinhos, sentimentalizados a ponto de se tornar uma paródia.[8]

Nós cristãos podemos ser tentados a tornar nossa fé menos encantada. Tentamos inflá-la de respeitabilidade. Mas o fato é que ainda cremos em muitas coisas estranhas.

Alguns anos atrás, eu ouvi uma entrevista com o teólogo britânico John Milbank em que ele disse: "eu creio em todas essas criaturas fantásticas. Eu me oponho ferrenhamente [...] ao desencanto nas igrejas modernas, até dentre evangélicos modernos, na minha opinião." Ele contou uma história sobre a diocese de Nottingham na Inglaterra, que ele descreveu como "uma diocese bem evangelical". Eles tinham recebido um pedido para participar num programa de rádio sobre anjos. Eles pesquisaram dentre o clero, perguntando: "alguém aqui ainda acredita o suficiente em anjos para se importar de falar sobre isso?" Milbank se queixou da diocese dizendo: "a meu ver, isso é um escândalo. Eles não deveriam ser ordenados se eles não podem explicar convincentemente sobre o que é o angélico e sobre o seu lugar na economia divina."[9] Milbank convocou um reencantamento da igreja, de modo que crêssemos, confessássemos, abraçássemos e admitíssemos tudo que a Escritura e boa parte da tradição ensinam — até as coisas estranhas.

Se não abraçarmos um cosmos encantado — as coisas estranhas —, perderemos a plenitude da realidade, a plenitude

---

8   WARREN. "Angels we ignore on high".

9   KENNEDY, Paul. "On radical orthodoxy". *Ideas podcast*. 4 de junho de 2007. <http://theologyphilosophycentre.co.uk/2007/06/14/on-radical-orthodoxy/>

de Deus e nunca seremos capazes de abraçar o mistério de nossas vidas, nossas questões confusas então nunca terão resposta. Para suportar o mistério, precisamos aprender a surfar as ondas radicais do deslumbramento.

✦ ✦ ✦

A noite é um período em que ouvimos os sussurros de um cosmos tumultuado e nos perguntamos sobre as realidades espirituais ocultas. A nossa imaginação se aventura com possibilidades — toda cultura na terra está cheia de histórias de fantasmas e outros espíritos que aparecem na noite.

Esta oração noturna nos chama de volta para o sobrenatural. Nela, esbarramos na realidade desconfortável de um universo além do que podemos ver, medir ou controlar.

A própria oração, em qualquer forma, nos desafia a interagir com um mundo para além do material, um mundo cheio de mais mistérios do que podemos falar em círculos urbanos.

Em certo sentido, a oração é completamente ordinária. Ela é comum e cotidiana.

Contudo, ela é a porta de entrada para a realidade sobrenatural. Glamourize a oração como um momento de silêncio ou a envernize com palavras bíblicas bonitas, porém, numa cultura que imagina um mundo de apenas três dimensões, a oração ainda é inevitavelmente corriqueira, e ainda bem.

Quando me tornei pastora da minha igreja local, fenômenos sobrenaturais se tornaram inevitáveis. É comum que ovelhas peçam ajuda a um pastor em nossa equipe com um encontro espiritual inexplicável. E não é só com tias carolas. Médicos, professores, empreendedores, que aparentemente são inteligentes, bem-ajustados e sãos, perguntam se poderíamos talvez orar nos seus lares porque pensam ter visto um demônio ou outra experiência inexplicável. Eventualmente, os pastores aprendem a responder ao sobrenatural como encanadores respondem a um cano entupido. Ossos do ofício. Todo pastor mais velho que eu conheço tem as suas histórias.

Entretanto, não foi ser pastora ou qualquer experiência estranha com o sobrenatural que me levou a crer mais profundamente no sobrenatural, em última instância, foi a oração.

A oração expande a nossa imaginação sobre a natureza da realidade.

Cosper diz o seguinte: "passar a viver no Reino de Deus, ou buscar viver num mundo diferente de nosso ambiente desencantado, requer uma completa reorganização de nossos hábitos e compromissos."[10] Fomos discipulados por cada impulso da nossa cultura para acreditar que o aqui e agora é tudo que existe; que a única esperança oferecida para nós se encontra no que podemos provar, cheirar, sentir e ver. Acreditar em algo além do mundo material exige que adotemos práticas que formem nossas imaginações — e corações e mentes — à luz da ressurreição, à luz da possibilidade de que, como Elizabeth Barrett Browning lembra, "a Terra está infestada do céu e todo arbusto, inflamado com Deus."[11]

A oração muitas vezes precede a crença.

As concepções mais populares de oração tomam a rota contrária. Pensamos que a oração como mais uma forma de autoexpressão. Desse jeito de pensar, começamos com crenças e sentimentos sobre Deus e o mundo e, por causa disso, aprendemos a orar. As nossas orações verbalizam nossa vida interior. Mas a oração, na verdade, molda a nossa vida interior. E, se fizermos as orações que recebemos, independentemente

---

10   COSPER. *Recapturing the wonder, p. 142.*
11   BROWNING, Elizabeth Barrett. *Aurora Leigh: a poem.* Chicago: Academy Chicago Publishers, 1979, p. 265.

de como nos sentimos sobre elas ou sobre Deus naquele momento, às vezes, descobriremos, surpreendentemente, que elas nos ensinam como acreditar.

Isso é especialmente verdade para tempos de sofrimento e angústia.

Quando a perda é forte, frequentemente lutamos para acreditar. Confiar em Deus parece ser uma subida árdua. Estamos cansados e nossas pernas tremem.

Nos momentos de mais profunda dor na minha vida, a fé da igreja me carregou. Quando confessamos os credos no culto, eu não digo "Creio em Deus Pai ..." porque em algumas semanas eu cria, enquanto em outras semanas eu não voava tão alto. Pelo contrário, confessamos: "*cremos* em Deus Pai ..." A crença não é um sentimento dentro de nós, mas uma realidade externa na qual entramos e, quando vemos essa fé falhando, às vezes tudo que podemos fazer é repousar na fé dos santos. Cremos juntos. Graças a Deus que a crença não depende de mim e minha tão oscilante fidelidade.

Em meio à dor e à dúvida, "precisamos segurar no corrimão de participar da oração e do culto", explica o filósofo James K.A. Smith. "Haverá estações na peregrinação de todo cristão onde você não deve se surpreender de andar naquele espaço [...] Alguns dias eu vou para a igreja com minhas dúvidas e espero que você cante por mim."[12]

As Escrituras, os cânticos, os sacramentos e as orações da igreja nos dão um bote salva-vidas em meio à dor. Quando

---

12   STONE, Roxanne. "James K.A. Smith: St. Augustine might just be the therapist we need today" *Religion News Service*. 28 de abril de 2020. <https://religionnews.com/2019/10/11/james-k-a-smith-st-augustine-might-just-be-the-therapist-we-need-today/ >

queremos conhecer a Deus, mas estamos fracos demais para caminhar, essas práticas nos carregam.

✦ ✦ ✦

O universo nunca foi nada menos que encantado. Podemos cessar de nos maravilhar com mistérios além do nosso alcance, mas isso não os diminui nem um pouco. O cosmos não precisa de nossa validação.

Fomos nós que nos empobrecemos.

Contudo, nunca podemos tirar definitivamente aquela sensação de que talvez — só talvez — tenha algo a mais. Nós nos perguntamos se nossas vidas ordinárias são parte de algo invisível e santo, uma narrativa superior da qual participamos.

O invisível faz parte de nossa experiência da vulnerabilidade humana. Nós não só nos sentimos vulneráveis porque enfrentamos perdas, doenças ou a morte. Nós nos sentimos vulneráveis num sentido cósmico. Nós sentimos nossa pequenez neste vasto universo. Nós sentimos que talvez haja forças do bem e do mal que não podem ser verificadas sob um microscópio. Suspeitamos num nível profundo que há mais fervilhar neste vasto oceano de realidade do que podemos imaginar. E nos perguntamos: se há uma realidade sobrenatural, ela é ordenada ou caótica? Bela ou horrorosa?

Saber que você não está sozinho pode ser consolador ou aterrador. Numa noite escura, quando troveja e galhos batem violentamente na janela, meus filhos se consolam quando lhes digo: "eu estou aqui, vocês não estão sozinhos", porque eles confiam em mim e me amam. Porém, a mesma ideia pode ser a guinada sinistra de um filme de terror: "o som estava vindo de dentro da casa." Sentir que o mundo está tumultuado de mistério pode ser um presente ou uma assombração, dependendo de se o ser invisível é de confiança ou não. Deus vem a nós como uma mãe amorosa ou como um estranho querendo nos pegar?

A oração nos chama para a realidade sobrenatural. E ela também nos ensina a natureza do Deus que governa o visível e o invisível, o Criador de ornitorrincos, anjos e seja lá o que for.

✦ ✦ ✦

O que eu mais amo sobre esta parte — "manda que teus anjos guardem os que dormem" — é que ela junta a estranheza natural cósmica e a mais cotidiana das atividades humanas: dormir.

Nós vamos dormir a cada noite em nossas camas ordinárias, em nossas casas ordinárias, nas nossas vidas ordinárias. E vamos dormir num universo cheio até a borda de mistério e deslumbramento. Nós sempre dormimos num quarto tumultuado em nosso cosmos tumultuado, então pedimos uma coisa maluca: que Deus envie seres sobrenaturais inimagináveis para nos guardar enquanto babamos em nossos travesseiros.

Estamos desprotegidos quando dormimos. Não importa qual seja o nosso trabalho, não importa quão impressionante sejamos, a fim de viver, todos precisamos desligar e ficarmos inconscientes durante aproximadamente um terço de nossas vidas.

Todos os dias, queiramos ou não, precisamos entrar na vulnerabilidade a fim de dormir. Podemos ser feridos. Podemos ser roubados. Podemos acordar num novo mundo de perda que não imaginaríamos na noite anterior.

Só queremos dormir perto de quem confiamos porque sabemos que as pessoas podem tirar vantagem de nós enquanto dormimos. Estamos à mercê de quem está ao nosso redor e à mercê da noite. Não podemos nos proteger dos terrores da violência ou da morte, ou dos problemas mais mundanos de sonhos ruins e mosquitos.

UMA TAXONOMIA DE VULNERABILIDADES

O sono nos lembra de nossa fragilidade. Dormindo, não temos nada a oferecer; não ganhamos nada de novo para o nosso currículo. Por causa disso, o sono é uma prática contracultural que nos lembra de que nossa segurança não é resultado de nossa produtividade, prestígio e poder.

Ou mesmo de nossa capacidade de sobrevivermos. Na tradição cristã, o sono sempre foi visto como uma forma de treinar para a morte. Tanto Jesus quanto Paulo falaram da morte como uma espécie de sono. A nossa descida noturna para a inconsciência é um *memento mori* diário, um lembrete de que somos criaturas, da nossa limitações e fraqueza. Quando vamos dormir, chegamos o mais perto possível, enquanto estamos vivos e saudáveis, da precariedade da morte. E o fazemos todas as noites.

Porque dormir é tão vulnerável, às vezes, temos dificuldade de abraçar essa prática. Ficamos acordados até tarde, encarando nossas telas, trabalhando ou vegetando, com as luzes elétricas sussurrando seus ruídos pela noite. Nós resistimos nossos limites corporais o máximo possível.

Mas é claro que nossos corpos e cérebros não ficam inativos quando dormimos. Há todo um mundo de atividade acontecendo dentro de nossas cabeças. Nós sonhamos. Nós lutamos contra a enfermidade. Nós formamos, classificamos e fortalecemos memórias do nosso dia. Os cientistas nos dizem que o aprendizado na verdade acontece durante o nosso sono e até depende dele. As informações que absorvemos durante o dia se repetem subconscientemente vez após vez nos nossos cérebros enquanto dormimos de modo que possamos absorvê-las, lembrá-las e integrá-las em nossas vidas.[13]

---

13   Ver MEDINA, John. *Brain rules*. Seattle: Pear Press, 2014, p. 41-51.

MANDA QUE TEUS ANJOS GUARDEM OS QUE DORMEM

Porém, a parte crucial de tudo isso é o que acontece completamente sem o nosso conhecimento, consentimento ou controle. Os nossos corpos são configurados para termos de abrir mão de nossa autossuficiência e poder se quisermos prosperar. Tanto física quanto espiritualmente, então, precisamos estar dispostos a abraçar a vulnerabilidade se é para aprendermos ou crescermos.

Deus planejou o universo — e nossos corpos também — para que a cada dia precisássemos encarar o fato de que não somos as estrelas no centro do palco. Não somos os protagonistas primários do planeta — ou mesmo das nossas vidas. A cada noite, a revolução dos planetas, a atividade dos anjos e a ação de Deus no mundo continuam tranquilamente sem nós. Para o cristão, o sono é uma forma corporal de confessar a nossa confiança de que a obra de Deus não depende de nós.

"O sono é um exemplo perfeito da combinação de disciplina e graça", escreve James Bryan Smith. "Você não consegue se esforçar para dormir. Você não pode se forçar a dormir. Dormir é um ato de entrega. É uma declaração de confiança, admitindo que não somos Deus (que nunca dorme) e que isso são boas novas. Não podemos fazer com que durmamos, mas podemos criar as condições necessárias para o sono."[14] Aprender e crescer requer uma postura de entrega, literalmente.

✦ ✦ ✦

Há momentos em que não podemos dormir porque nos sentimos pequenos demais. Tememos a morte, o fracasso ou só estar sozinhos. Ficamos preocupados. É nessas horas

---

14   SMITH, James Bryan. *The good and beautiful God: falling in love with the God Jesus knows*. Downers Grove: InterVarsity Press, 2009, p. 34

delicadas que a nossa gigantesca ilusão de que estamos no controle vira fumaça.

Vários anos atrás, o meu pai teve um grande ataque cardíaco num cruzeiro no meio do oceano. O meu irmão, minha irmã e eu recebemos uma mensagem de nossa mãe nos contando, mas, por cerca de um dia, não recebemos mais informações. Finalmente conseguimos falar com o médico do navio e descobrimos que meu pai iria ser transferido para um hospital na América do Sul, mas que o navio precisaria navegar a noite toda para chegar à terra firme. Eu me lembro de ficar acordada naquela cama à noite, pensando no meu pai e na minha mãe balançando para cá e para lá num navio no meio do oceano. Eu não poderia salvá-los, visitá-los ou mesmo chamá-los. Eu não podia fazer o navio ir mais rápido. Eu não podia prever se meu pai estaria vivo na manhã seguinte. E foi com essa sensação aguda da minha impotência que eu dormi rapidamente — algo que é raro para mim.

Como uma criança que sabe que não é o seu trabalho controlar a bolsa de valores de Nova York, já que ela mal sabe controlar os próprios horários, a sensação de quão pouco eu podia controlar me fez simplesmente relaxar nas mãos de Deus. Eu não sou assim. Somente quando as coisas saíram a tal ponto do meu controle que ficou óbvio que eu não podia fazer nada que eu lembrei que não estava no controle da minha vida ou da vida dos outros.

O sono é um lembre diário e encarnado de que é Deus, e não nós, quem é o criador e o motor de todas as nossas vidas.

Práticas de oração, como a prática de dormir, são uma forma de entrar numa postura de descanso em Deus diante da pura fragilidade, sem promessas de como ou quando a manhã chegará. Esta é a ergonomia da salvação, a forma que aprendemos a andar num mundo sombrio. E é essa postura

MANDA QUE TEUS ANJOS GUARDEM OS QUE DORMEM

de descanso que enquadra minhas contínuas perguntas sobre como confiar em Deus quando coisas ruins acontecem. Cosper conclui:

> Nossas tentativas rasas e infantis de responder cada questão e de entender cada mistério na vida falharão no final. Pelo contrário, Deus nos convida a fazer um tour no mundo bizarro ao nosso redor, a nos enxergar como um mistério dentre outros e confiar nele que tudo faz sentido de uma forma estranha e cósmica. Ao fazê-lo, descobrimos que a presença de mistério no mundo é um convite ao deslumbramento e um mundo sem mistério é um mundo de desespero.[15]

Há mais coisas entre o céu e a terra do que sonha nossa vã filosofia. Há um tour para fazer neste mundo bizarro e não conseguimos segurar o peso dele em nossos ombros. Somos pessoas limitadas e há mais mistério em nossos cérebros e no nosso quarto do que jamais poderemos delimitar. E então nós deitamos e dormimos todas as noites sabendo que não estamos sozinhos.

---

15   COSPER. *Recapturing the wonder*, p. 118.

7

CUIDA DOS ENFERMOS, CRISTO SENHOR

Corporeidade

A mortalidade chega a prestações, desde o nosso primeiro nariz entupido até o nosso último suspiro.

Vivemos cada momento de nossas vidas, do melhor ao pior, em nossos corpos. Não descobrimos o amor como uma ideia abstrata, mas ao sermos alimentados e segurados no colo quando criancinhas. Conhecemos a solidão como uma sensação de aperto bem acima do peito. Encontramos a passagem de estações como uma lufada de vento gelado nas bochechas ou como o asfalto quente debaixo dos nossos pés. Dor, prazer, trauma e angústia são estados corpóreos. Não é que simplesmente tenhamos corpos; nós somos corpos. Não é tudo que somos, mas somos criaturas irredutivelmente corpóreas. E quando nossos corpos quebram, nós também quebramos.

Ficamos doentes. Nos sentimos péssimos. Nossos pensamentos se embaraçam. Ficamos cansados e doloridos — ou enjoados, de modo que sentimos quase nada mais que a urgência

UMA TAXONOMIA DE VULNERABILIDADES

exigente de nosso sistema gastrointestinal. A vulnerabilidade humana não é uma simples ideia. É tão visceral quanto uma queimadura ou uma dor de garganta.

Nesta parte da oração, não estamos falando sobre morrer — ainda não. Estamos simplesmente orando pelos doentes. E a noite é especialmente difícil para os doentes.

Para começar, nos sentimos pior quando o sol se põe. Não é uma mera impressão que parecemos ficar mais doentes à noite. A doença realmente atinge o seu pico durante a noite. Os nossos sistemas imunológicos possuem seu próprio ritmo circadiano e a inflamação do corpo aumenta à noite, o que ajuda a nossa cura.[1] Porém, enquanto isso, nos sentimos péssimos. (O pediatra dos meus filhos me contou que os corpos das crianças sabem exatamente quando fecham os consultórios e aí esperam esse momento para ter aquele pico de febre.)

Quando eu estou doente ou cuidando de alguém que está doente, eu tenho medo da noite. Há uma espécie peculiar de ansiedade bem cansativa que vem quando cuidamos de uma criança doente durante uma noite escura e prolongada, contando as horas até a manhã. E quando eu estou doente, a escuridão aprofunda meu cansaço e solidão. A enfermidade nos isola e, à noite, quando não conseguimos dormir com toda tosse ou vômito ou dor, encaramos uma miséria singular, muitas vezes sozinhos.

Carregamos a fragilidade até na nossa pele e nas nossas células, do menor ao maior aspecto, por isso oramos pelos doentes. E como isso inclui um grande espectro de pessoas — lembramos daqueles com um resfriado comum, mas também com câncer, um sushi que não desceu bem ou até ebola.

---

1   HEID, Markham. "Here's why you always feel sicker at night". *Time*. 6 de fevereiro de 2019. <https://time.com/5521313/why-you-feel-sicker-at-night/ >

O cantor e compositor David Wilcox é brilhante quando sugere numa música que uma dor de cabeça é como se fosse "a morte te parando na estrada e te liberando com uma advertência."[2]

A doença — como o sono e a própria noite — é outro sinal de nossa mortalidade. A igreja há muito falou sobre a doença como a "ama da morte", um treinamento para a nossa inevitável e derradeira hora.[3] É um lembrete involuntário, pequeno ou grande, de nossos limites criados, de nossa suscetibilidade a ferimentos e de nosso futuro fim.

✦ ✦ ✦

A palavra latina da qual vem a palavra *humano* (*humanus*) e a palavra latina para *terra* ou *solo* (*humus*) possuem o mesmo radical. Somos criaturas da terra, do pó.

A palavra *humildade* também vem desse radical. A doença é, num sentido bem real, bastante humilhante. Os nossos corpos nos lembram de que somos todos caldeirões borbulhantes de sólidos e líquidos. Não estamos nem um pouco perto do invencível. Nascemos fracos e continuamos fracos a nossa vida toda.

Dores de cabeça, náuseas, vertigens e dores de ouvido — todos revelam algo de verdadeiro sobre nós. Não apenas vamos morrer um dia, mas até lá ainda seremos limitados. As nossas vidas ficam amarradas por nossas capacidades decrescentes. Somos lembrados na doença de que nenhum de nós é o mestre de nosso destino ou o sustento de nosso viver.

Em 2017, quando eu estava em "restrição de atividades" por meses devido às complicações da gravidez, eu não podia

---

2   WILCOX, David. "Cold". *East Asheville Hardware* (1996).
3   TAYLOR, Jeremy. *Holy living and holy dying together with prayers.* Londres, 1839, p. 396.

fazer uma caminhada, fazer compras no mercado, ou desfazer as caixas da mudança. Eu sentia que o meu corpo tinha assoado o apito e me posto no banco.

A inatividade exigida me fez ficar deprimida. A doença é entediante. Fomos feitos para estarmos bem, para nos movimentarmos, para correr, para sentir o vento no rosto e, quando perdemos tudo isso, a própria química do nosso corpo se queixa. A bola de neve se forma rápido.

A doença também é profundamente frustrante. O meu corpo — que me trouxe tanta alegria, que me permitiu dar à luz, provar guacamole e nadar no mar frio da Irlanda — me deixou na mão. Eu cresci acostumada com o grande privilégio das coisas dentro da minha pele funcionarem corretamente. Eu conquisto as coisas. Eu consigo performar, atender expectativas e cumprir minha lista de afazeres. E então subitamente eu não consigo e o obstáculo é o meu corpo. Eu preciso cancelar eventos do trabalho e pedir para os meus amigos pegarem as crianças na escola.

E quando eu não posso mais alcançar o que eu quero, tudo que me resta é quem eu sou, sem adereços, sem polimento ou produtividade. Humilhante.

Só que esse tipo de humilhação nos humaniza. Encarar nossa fragilidade e limitações nos ensina como sermos humanos.

A nossa cultura costuma resistir a essa lição. A fraqueza não é tolerada. Em outubro de 2019, Robert Half publicou um artigo chamado "Are your co-workers making you sick?" [Os seus colegas de trabalho estão te adoecendo?] Naquela época, entre 70 e 90 por cento dos americanos relataram ir ao trabalho mesmo doentes. Um terço dos americanos disse que nunca perderiam um dia de trabalho por qualquer razão, independentemente de qual problema os seus corpos tivessem.[4] E 55 por cento dos trabalhadores relataram se sentirem culpados de não ir trabalhar por estarem doentes.[5] A maioria dos empregados relataram que eles continuam a trabalhar mesmo doentes porque têm trabalho demais para fazer e não podem ficar em casa. Estamos simplesmente ocupados demais para ter corpos que nos deixam na mão. Pelo jeito a vulnerabilidade humana é uma inconveniência irritante.

Os trabalhadores vão trabalhar doentes porque podem perder sua remuneração se ficarem doentes demais ou porque o seu chefe virá trabalhar doente e eles querem seguir o exemplo. Nós criamos sistemas de recursos humanos e culturas empresariais inteiras baseados na nossa tendência coletiva de ignorar os limites dos nossos corpos.[6] Mas uma resistência aos limites da corporeidade só nos torna mais doentes, tanto no corpo quanto na alma. Não somente espalhamos nossos

---

4   HALF, Robert. "Are your co-workers making you sick?" s24 de outubro de 2019. <https://www.roberthalf.com/blog/management-tips/are-your-coworkers-making-you-sick>

5   MIRZA, Beth. "Majority of Americans report to work when sick" *SHRM Blog*. 13 de maio de 2011. <https://blog.shrm.org/workplace/majority-of-americans-report-to-work-when-sick>

6   A pandemia da COVID-19 expôs os problemas das políticas para faltar ao trabalho por conta de doenças nos Estados Unidos. Ver INSERRO, Allison. "COVID-19 exposes cracks in paid sick leave policies" AJMC. 20 de março de 2020. <https://www.ajmc.com/view/covid19-exposes-cracks-in-paid-sick-leave-policies>. Mesmo muitos trabalhadores da linha de frente não puderam faltar o trabalho quando doentes. Ver CAMPBELL, Alexia Fernández. "McDonald's, Marriot franchises didn't pay COVID-19 sick leave. That was illegal" *The Center for Public Integrity*. 3 de Agosto de 2020. <https://publicintegrity.org/inequality-poverty-opportunity/workers-rights/deny-paid-sick-leave-workers-coronavirus-pandemic-mcdonalds/>. Não está claro como — ou se — a pandemia da COVID-19 impactará como pensamos sobre os limites de nosso corpo, a doença ou faltar o trabalho por causa disso como sociedade.

micróbios, mas também espalhamos um hábito doentio de negar a realidade de nossa fraqueza. Se honrar os nossos limites nos humaniza, uma cultura que recusa limites é inerentemente desumana.

Queremos ser indispensáveis, totalmente competentes e indestrutíveis. Mas somos humanos, criaturas do pó da terra. Abraçar essa verdade sobre nós mesmos é o tipo de humilhação que dá origem à liberdade.

Passamos a conhecer a Deus quando nossa capacidade de performar, de atender expectativas, de conquistar, nos falha. A doença nos desafia a abraçar o fato de que somos amados, precisamente porque ela corta qualquer ilusão que temos de nossa invencibilidade e mérito.

✦ ✦ ✦

A bendita humilhação da doença não é apenas física, mas também espiritual. Nossas ilusões de piedade podem ser desfeitas com uma dor de dente.

Quando nossos corpos falham, nossas vontades também falham. Se hábitos virtuosos — compaixão, generosidade, gentileza — não tiverem entrado de fato em nós, se eles não se cravaram na nossa disposição, a enfermidade expõe o quanto ainda precisamos crescer. Quando me sinto indisposta, exausta ou febril, eu brigo com meus filhos, caio facilmente em desespero, lambo minhas feridas e ligo muito pouco para os outros. Boa parte do que parece ser gentileza, paciência ou santidade na minha vida vem de boa saúde, energia e prazeres simples. Quando perco essas coisas, fica claro que não sou tão gentil ou paciente assim. Eu só não estava com dor nas costas.

No livro de Scott Cairn, *The end of suffering* [O fim do sofrimento], ele conta a história de um monge que ele conheceu e que estava morrendo de câncer. Esse monge lhe disse: "o paraíso está cheio de homens e mulheres cujo câncer salvou suas vidas."[7]

Não é que o câncer em si seja algo a ser celebrado. A doença não é a maneira como as coisas deveriam e não precisamos fingir o contrário. Mas, se permitirmos, a nossa vulnerabilidade física pode nos mostrar quem somos e nos ensinar a clamar a Deus (às vezes por meio de gemidos de dor, às vezes por meio de vômitos). Então percebemos que Deus nos encontra precisamente quando não temos nada a oferecer.

A igreja, ao longo de sua história, chamou a doença de uma oportunidade — por mais involuntária que seja — de crescer no arrependimento e na virtude. É por isso que um velho monge pode afirmar que câncer salva vidas. Isso não significa que a enfermidade seja resultado de nossa pecaminosidade ou que a doença seja resultado de nossa virtude, mas que é por meio desse tipo especial de sofrimento que podemos ser fracos o suficiente para sermos renovados. O pastor do século 17 Jeremy Taylor escreveu: "Não há nada que possa fazer a doença em qualquer sentido [...] tolerável, senão a graça de Deus: que [...] a transforma em virtude."[8] Deus não se agrada de enviar câncer ou afta para nós, mas a igreja sempre disse que a doença pode ser purificadora porque Deus nos encontra na falência de nossos corpos e emprega até essa falência para o bem.

Cairns nos diz como, por meio do câncer, o seu pai passou de um homem "inclinado à impaciência" de um "temperamento considerável" para ser "notavelmente calmo,

---

7   CAIRNS, Scott. *The end of suffering: finding purpose in pain*. Brewster: Paraclete Press, 2009, p. 21.
8   TAYLOR. *Holy living and holy dying*, p. 419.

amoroso e profundamente sereno — realmente um homem de oração."[9] O seu pai morreu de câncer, mas o câncer salvou a sua vida.

Eu me pergunto se não podemos receber uma graça parecida em crises menores. Se o câncer pode salvar uma vida, será que Deus não pode ser encontrado em misérias mais comuns como um tornozelo torcido ou uma gastrite? Será que esses pequenos "alertas da morte" não seriam um mero tédio a ser suportado, buracos na estrada bem-pavimentada de nosso sucesso e autonomia, mas uma forma de nossos corpos nos tutorearem para a realidade? Será que nossos pulmões, dedões e tornozelos nos instruem sobre humanidade e humildade? Somos frágeis. Nenhum de nós é o resultado de nossas conquistas. Todos nós somos criaturas que fedem, suam, se cansam e que são totalmente amadas. Saber isso traz liberdade.

Por quase duas décadas, eu tenho sofrido de uma enxaqueca crônica.[10] Eu a sinto chegando, devagar, no começo. Uma nuvem de cansaço paira sobre mim: um presságio. Então a dor começa, afiada e congelante. Ela domina o lado direito do meu corpo. Então vem a náusea. Eu fico com calor, então com um frio de bater os dentes, e depois com calor de novo. Eu suo, suspiro e caio com tudo na cama. Feixes de luz e ondas de som esmurram o lado de dentro do meu crânio. A dor suga todo o resto. Houve anos em que minha enxaqueca se acalmou. Mas também houve anos em que elas dominavam a paisagem da minha vida, atrapalhando a minha família e

---

9   CAIRNS. *End of suffering*, p. 21-22.

10   Este trecho é uma adaptação de WARREN, Tish Harrison. "My Lord and migraine". *The well* (blog). 14 de janeiro de 2016. <https://thewell.intervarsity.org/blog/my-lord-and-migraine>.

o meu trabalho, deixando-me disfuncional por uma semana mais ou menos a cada mês.

Pela maior parte da minha vida, a enxaqueca se tornou um encontro regular com uma teodiceia corpórea — uma forma de bater de cara (literalmente) com o problema do sofrimento. Quando eu me sinto bem, eu não pergunto a Deus por que ele me permitiu ter enxaqueca. Eu sei que eu não posso saber. Mas nas piores fases de dor, eu gemi: "Por que, Jesus? Por que tu não tiras isso? Por que eu não melhoro?" É como uivar para a lua, como um animal se retorcendo na armadilha, implorando ao céu noturno.

Todavia, também posso dizer, sem cruzar os dedos, que há certos presentes que chegaram a mim nesta doença específica. A dor crônica me conectou com o meu corpo e os seus ritmos e limites de uma forma que eu não conhecia. Eu amo o mundo das ideias e é fácil ignorar completamente o meu corpo. Mas a dor crônica me ensinou a viver em pele e osso, com toda a alegria e angústia que isso implica. Eu precisei aprender a cuidar do meu corpo. Eu também precisei aprender a receber o cuidado de outros, o que, por sua vez, me ensinou a acompanhar outros em sua dor sem tentar resolvê-la. A minha enxaqueca crônica é uma prática ordinária, às vezes semanal, de ser acompanhada por Deus em dor e trevas literais.

Porém, eu preciso ter cuidado ao listar essas bênçãos ocultas da dor crônica porque, para ser honesta, elas não parecem valer a pena. Se eu pudesse trocar um pouquinho de autoconhecimento, ou empatia, ou conexão ao meu corpo ou ao mistério do sofrimento pelo desaparecimento da minha enxaqueca — e especialmente para que meu marido e filhos não tivessem de lidar com minha doença —, é óbvio que eu o faria. Mas a narrativa cristã me desafia a acreditar que há

UMA TAXONOMIA DE VULNERABILIDADES

bênçãos no fato de que não sou eu quem decide essas coisas. Eu não determino a forma da santidade ou da transformação para mim (ou para meu marido e filhos). Nós não escolhemos as nossas cruzes — ou ressurreições — favoritas.

Entretanto, eu só posso crer que seja bom que eu não mapeie o caminho da minha vida se eu creio que o próprio Deus está cuidando de mim em meio aos problemas. Deus não é um masoquista que se alegra com nossa dor ou fraqueza, mas um cultivador cuja graça se encontra até na unidade de queimados, na UTI neonatal e nos consultórios. Eu posso acreditar que Deus é bom porque o próprio Deus escolheu um caminho de sofrimento que nenhum de nós jamais escolheria — e ele passou por esse caminho num corpo humano, como uma criatura do pó da terra.

✦ ✦ ✦

Se queremos crescer em santidade, humildade e liberdade, a doença é uma professora habilidosa. Contudo, esse tipo de crescimento não acontece automaticamente. Precisamos aprender, por meio de anos de prática, a observar Deus trabalhar mesmo em nossos corpos fraquejantes.

Talvez seja por isso que nesta oração pedimos que o Senhor "cuide" dos doentes. Não pedimos para que Deus simplesmente *cure* os doentes — embora certamente oremos por cura muitas vezes em outras orações. Aqui oramos pelo cuidado.

O cuidado implica servir ao outro, pastoreá-lo e atender as suas necessidades. Requer cautela, atenção e compaixão. É claro que queremos cura e a Escritura nos diz para orar por ela (Tiago 5.14). E o cuidado certamente pode envolver a cura. Mas estamos pedindo por mais aqui do que Deus simplesmente vir como um médico e fazer a pessoa se sentir bem. Essa oração tem a audácia de pedir que o Deus do universo

134

desça não para curar, mas para cuidar de nós, para que tome conta de nós em nossos estados mais baixos. Precisamos que Deus traga integridade às nossas almas, mesmo em meio à falência de nossos corpos.

Esta oração nos desafia a acreditar que precisamos de algo mais do que bem-estar. Para que Deus pegue algo tão miserável e fétido quanto a doença e faça algo bonito, precisamos de mais do que cura. Precisamos de amor.

O verbo "atender" e o substantivo "ternura" compartilham o mesmo radical no latim, que significa literalmente "esticar". Estamos apelando para a ternura de Deus — para que o Criador do universo se estique para nos alcançar mesmo quando estamos cercados de sangue, catarro ou vômito.

Quando estamos doentes, sentimos o desperdício de vida em nossos corpos doloridos, o desperdício das horas que passam, o desperdício de nossa força. Deixados por conta própria, é só isto que seríamos: desperdício. Mas Deus não desperdiça nada. Nós cheiramos mal. Nossa aparência fica horrível. Até os nossos corpos desistiram de nós. Precisamos de cuidado. E não temos nada para provar, nada para alcançar, nenhuma performance é necessária. Podemos deixar que Deus cuide de nós.

✦ ✦ ✦

Recebemos nossos corpos como presentes de Deus. Isso pode ser difícil de acreditar se passamos o nosso tempo contando cada falha deles ou as ignorando completamente.

A doença nos lembra de como é maravilhoso ter corpos que funcionem. No presente de nossos corpos, nós recebemos bem mais do que merecíamos. Recebemos o privilégio de andar, crescer, comer, envelhecer e rir.

UMA TAXONOMIA DE VULNERABILIDADES

Na idade adulta, a maioria de nós já ficou doente e se recuperou centenas de vezes. As orações de cura acontecem mais em doenças e crises graves. Mas até a cura das coisas pequenas — a gripe comum ou a farpa no dedinho — é uma maravilha que envolve múltiplos sistemas do nosso corpo numa dança delicada. E isso na maioria das vezes acontece sem a nossa ajuda consciente.

Eu não consigo lembrar de todas as milhares de vezes que eu peguei uma gripe ou queimei o meu dedo no fogão ou me cortei me depilando, o que significa que eu não lembro todas as vezes que fui curada. Cada ano da minha vida tive congestões e indigestões, dores de cabeça e sinusites. Todas as vezes, eu me recuperei. E essa dádiva da cura ordinária é tão comum que dificilmente a notamos.

Corpos humanos são gloriosos. O fato de que nossas juntas continuam (pela maior parte do tempo) bem lubrificadas e nossos pulmões continuam respirando década após década — e para alguns de nós, até bem depois do prazo de validade — é uma maravilha, um milagre do cotidiano. O corpo humano é mais espetacular e complexo do que qualquer outra coisa do mundo. Mas quase nunca o observamos. Nós simplesmente o ignoramos até que pare de funcionar. Somente então vislumbramos o tipo de misericórdia abundante que se vê numa semana ordinária com um corpo funcional.

Muitos de nós — nem todos — viveram momentos quando nossos corpos funcionaram exatamente como deveriam. Provamos o oceano em nossos lábios, conhecemos o arrebatamento de um pêssego perfeitamente maduro, sentimos o cansaço gratificante de subir uma montanha. A doença, tanto a leve quanto a séria, é uma diminuição da glória para a qual fomos feitos. O sabor exuberante de vida é substituído pela fluorescência árida do quarto de hospital ou a opacidade de um dia turvo na cama.

136

Então, quando oramos para que Deus cuide dos doentes, estamos orando para que Deus lhes traga ternura, e até abundância, neste momento específico de diminuição humana.

Porém, quando oramos pelos doentes também precisamos lembrar da glória para a qual fomos feitos. Relembramos que a nossa saúde é um dom. Ela não pode ser merecida. Ela não será constante. Qualquer bem-estar que possuímos um dia vai embora. Mas recebemos nossos corpos, diariamente, com gratidão. Neles, provamos a queda, que as coisas estão quebradas e ainda não foram renovadas. A morte nos para com uma advertência.

Mas os nossos corpos um dia serão eternos. Eles ressuscitarão do pó numa solidez carnal, com sua glória permanentemente indiminuta. Então nós também provamos a promessa do céu na bondade de nossos corpos. Enquanto isso, nossa carne e sangue se suspendem entre nossa derrota e nosso resgate, entre a queda e a ressurreição. Nós vislumbramos tudo isso até nas nossas células. E entre a tensão e o suspense, nós aprendemos a gemer a Deus em nossa fragilidade, levantando nossas mãos trêmulas a Deus quando não temos palavras para encontrar Deus em nossos poros e em nossa pele. Nós aprendemos a orar ao Deus que cuida de nós.

8

DÁ REPOUSO
AOS CANSADOS

Fraqueza e silêncio

Cansaço é uma palavra forte. Traz à mente olhos entreabertos e juntas doloridas, os rostos desgastados de quem já passou por um bocado. Estar verdadeiramente cansado é um estado tanto do corpo quanto da alma. O rosto inchado da mulher depois de chorar cada lágrima que tinha. O homem com *burnout* que se joga no sofá depois de um dia cheio. O casal que conversa em círculos, rodando e rodando em volta do mesmo impasse.

Sabemos a diferença entre aquela experiência gratificante de falta de energia que vem depois de um bom dia de trabalho e o fardo do cansaço, quando as dificuldades da vida pesam sua dura capa sobre nós. O livro de Eclesiastes chama o último de "enfado da carne" (Eclesiastes 12.12, ARA). Ele vem com desolação, ansiedade e aquele profundo suspiro de desespero.

Nesta oração, pedimos que Deus dê repouso aos cansados, como Jesus prometeu que faria. Em todo ofício de oração anglicano, lemos as Escrituras. Nas completas, lemos uma citação de Jesus, quando falou à multidão e disse: "Vinde a mim, todos os que estais cansados e sobrecarregados, e eu vos

139

aliviarei. Tomai sobre vós o meu jugo e aprendei de mim, que sou manso e humilde de coração; e achareis descanso para a vossa alma. Porque o meu jugo é suave, e o meu fardo é leve" (Mateus 11.28-30).

Jesus chama os cansados para si. Ele não chama os autossuficientes, nem quem tem as credenciais religiosas corretas ou as vidas perfeitas, aquelas de Instagram.

Ele chama quem está exausto de tanto esforço, só de ter de passar pelo dia. Ele chama quem está carregado de fardos pesados, aqueles oprimidos por pecado e angústia. São esses, não os confiantes e realizados, a quem Jesus diz: "Vinde a mim."

✦ ✦ ✦

Há dez anos, numa quarta-feira de cinzas, quando o anglicanismo ainda era novo para mim, eu me ajoelhei num genuflexório enquanto o Rev. Thomas, o meu pastor, traçava cruzes com cinzas nas testas das pessoas. "Lembrai que sois pó e ao pó tornareis", ele entoava enquanto marcava a pré-adolescente do meu lado. Então, eu a ouvi se virando para a sua mãe e sussurrando: "A minha cruz ficou esquisita?".

Ainda ajoelhada, eu comecei a rir. Porque é claro que estava esquisito. Ela estava com uma grande mancha preta no meio da testa. Não tinha como não ficar esquisito.

Mas eu ri porque ouvi o meu próprio coração naquela pergunta. Eu sei que sou limitada. Eu sei que sou pó e que voltarei ao pó. Eu posso aguentar vulnerabilidade, cansaço e mortalidade. Eu posso aguentar pecado, egoísmo e tentações. Mas, sabe, eu ainda não quero ficar esquisita.

Eu quero fingir que estou inteira. Que está tudo bem. É uma máscara bem-feita. Eu sou uma menininha de dez anos com uma grande mancha preta na minha cara tentando dar uma de descolada mesmo assim.

Embora eu ame a minha igreja, havia uma época em que eu odiava o site da minha igreja e mantinha sua existência em absoluto sigilo (o que contradiz a própria ideia de ter um site). A minha principal reclamação é que ela dizia em letras garrafais na página inicial: "servimos a Deus com nossas forças e recebemos graça por nossas fraquezas." Às vezes pensamos na vida cristã dessa forma. Deus sorri para nossas forças, nossa competência, nossa capacidade para a bondade e a beleza. E então, pela graça, todas nossas imperfeições chatinhas são varridas para debaixo do tapete.

Todavia, a boa nova de Jesus não é que ganhamos uma medalha de honra ao mérito por sermos comportados e esperamos que Deus ignore nossas falhas. Servimos a Deus não só com nossas forças, mas nas nossas fraquezas.

Deus disse a Paulo: "A minha graça te é suficiente, pois o meu poder se aperfeiçoa na fraqueza" (2Coríntios 12.9). E então Paulo diz que se gloriaria em suas fraquezas. Então ele fica fora de si e diz que vai se alegrar com suas fraquezas, insultos, dificuldades, perseguições e obstáculos, porque é exatamente nessas fraquezas que Deus é forte. Eu me pergunto se o site de Paulo diria: "servimos a Deus com nossas forças e recebemos graça por nossas fraquezas."

Na faculdade o meu melhor amigo confessou o seu pecado mais secreto para o nosso pastor. Sentado na varanda da casa do nosso pastor, ele lhe contou a maior vergonha de sua vida. Então o meu pastor falou uma coisa que transformou profundamente o meu amigo: "Precisamos de você na nossa igreja, justamente por causa da sua luta, e não apesar dela." A fraqueza e o pecado na vida do meu amigo — e sua contínua história de arrependimento e restauração — era o exato lugar onde Deus poderia ser mais visto e conhecido, onde Deus poderia se mostrar às outras pessoas por meio da vida do meu amigo.

UMA TAXONOMIA DE VULNERABILIDADES

Vamos à igreja, antes de tudo, porque nos vemos necessitados. Segundo Rich Mullins:

> Eu nunca entendi por que ir para a igreja era coisa de hipócrita [...] porque ninguém vai para a igreja porque é perfeito. Se está tudo bem com você, não precisa nem ir. Você pode usar sua manhã de domingo para sair para correr como todas as outras pessoas perfeitas. Toda vez que você vai para a igreja, você confessa mais uma vez para você, para sua família, para as pessoas que lhe veem indo para lá e para as pessoas que lhe cumprimentarão ali que não está tudo bem com você. E que você precisa do apoio delas. Você precisa de sua orientação. Você precisa de prestação de contas. Bem, você precisa de ajuda.[1]

Jesus chama justamente quem está cansado, quem briga com quem ama depois de um dia cansativo, quem luta contra algum vício, quem não é do jeito que queria ser, quem sabe que não é forte, quem cai e se arrepende, quem falha — mais de uma vez. A igreja é assim, é nessas pessoas em quem Jesus é forte.

É claro, eu não quero dizer que Deus é glorificado nas fraquezas da moda. Agora virou tendência exibir meticulosamente suas imperfeições on-line. A bagunça pode fazer parte de sua marca pessoal. Não gostamos de pessoas que parecem perfeitinhas demais, então muitos líderes cristãos se esforçam para mostrar como eles são "bagunçados". Mas tudo é cuidadosamente filtrado. As nossas fraquezas mais genuínas nunca servirão como marketing. São aquelas coisas que as pessoas mais próximas de nós sabem e querem esquecer — ou talvez são aquelas que nem mesmo sabemos sobre nós. São aquelas coisas que nunca compartilharíamos numa entrevista de

---

1   Citado em SMITH, James Bryan. *Rich Mullins: an arrow pointing to heaven*. Nashville: B&H, 2002, p. 30

emprego e que as pessoas (assim esperamos) não mencionarão no nosso funeral.

Uma das minhas citações de filme favoritas é a confissão de Lester Bangs em *Quase famosos*: "A única moeda verdadeira neste mundo falido é o que você compartilha com outra pessoa quando você não é legal."[2] Se compartilhar nossas imperfeições nos torna mais legais e mais amigáveis, então não é uma fraqueza genuína. O que realmente está errado conosco é vergonhoso e desconfortável. A verdadeira vulnerabilidade é sensível demais para ser confiada, senão a quem mais amamos. Compartilhar essa parte de nós com a nossa comunidade, nos torna mais íntegros, mas não ajuda nossa marca pessoal. De verdade, somos uma bagunça — e não de um jeito fofinho, mas de uma forma triste e humilhante. Sim, a cruz na nossa testa é esquisita.

Ninguém pode ficar bastante doente e ser realmente legal ao mesmo tempo. Basta perguntar para qualquer enfermeira. Os mais fortes dentre nós, quando sua saúde falha, se reduzem a bebês necessitados. Da mesma forma, o cansaço, quando chega ao nosso âmago, revela o nosso mais verdadeiro e mais frágil eu.

✦ ✦ ✦

Santo Isaque, o Sírio, disse: "bendito o homem que conhece suas fraquezas, porque essa consciência se torna o fundamento e o princípio de toda bondade e beleza."[3] A nossa força falha e nos cansamos. Essa experiência de vulnerabilidade pode ser dolorosa, contudo, se a abraçarmos, também será salvífica. Ou

---

2   *Quase famosos*. Direção de Cameron Crowe. Culver City, Columbia Pictures, 2000.

3   ISAQUE, O SÍRIO. *Mystic treatises*. Trad. A.J. Wensinck, viii, <http://lesvoies.free.fr/spip/article.php?id_article=342>.

UMA TAXONOMIA DE VULNERABILIDADES

melhor, será a matéria-prima empregada por Deus para nos levar à verdade de quem nós somos e de quem ele é.

Estranhamente, quando Jesus chama os cansados para o descanso, ele também lhes dá um jugo — um instrumento de trabalho, não de descanso. Faria mais sentido se Jesus dissesse: "e vos darei descanso. Tomai o meu cobertor quentinho." Ou talvez um travesseiro, um banho de banheira ou um dia de folga. Mas Jesus oferece descanso aos cansados — junto com um jugo.

No Antigo Oriente Próximo, não eram apenas os animais que levavam jugos. Algumas pessoas também podiam levar jugos nos ombros para transportar cargas mais pesadas, com suas mãos agarrando correntes ou cordas para ajudar. Mas somente as pessoas mais pobres faziam esse tipo de trabalho. Jesus está utilizando uma imagem bem clara — um trabalhador suando sob o sol, com os músculos do pescoço esticados e o corpo quase quebrando sob o fardo.[4] Jesus não diz que ele vai trocar o jugo por um condomínio de luxo ou um pacote de férias. Ele oferece a seus discípulos um jugo diferente — o dele. E ele diz que o seu jugo é suave e leve.

Um jugo representava poder ou autoridade. Tomar um jugo significava se submeter a alguém. Nesta passagem, Jesus nos convida a nos submetermos à autoridade dele e "aprendemos dele". No nosso cansaço, somos chamados a descansar, mas também a aprender, a sermos ensinados por quem tem a autoridade. Se aprendermos de quem é "manso e humilde", encontraremos descanso para nossas almas.

Não tem como ficar sem jugo. Eu achava que era melhor para os cansados não ter jugo nenhum, porém Jesus indica que todas as pessoas estão sob algum jugo, que é impossível

---

4   KEENER, Craig. *A commentary on the Gospel of Matthew*. Grand Rapids: Eerdmans, 1999, p. 348.

estar junto de algo ou alguém neste jugo.[5] Pode ser o jugo da lei religiosa e da espiritualidade escrupulosa. Pode ser o jugo de nossos desejos e paixões, tão barulhentos e extenuantes quanto os de um recém-nascido. Pode ser o jugo das normas e noções culturais, a água em que nadamos.

Jesus convida os cansados a não seguirem o seu próprio caminho — o que seria um jugo realmente pesado —, mas a se submeterem a ele e a aprenderem dele, tomando sobre si o seu jugo.

Mas por que o jugo de Jesus é suave? Ele é suave porque ele promete que tudo vai ser fácil para nós? Que se mantivermos a nossa parte do trato — se formos bonzinhos —, ele vai realizar os nossos sonhos e fazer a vida dar certo? Que teremos casamentos felizes? Que teremos filhos? Que encontraremos uma vocação prazerosa? Que seremos saudáveis? Que seremos lembrados depois de morrermos?

Não. Ele nos chama para um jugo suave, mas ele também nos chama a tomar a nossa cruz. Como a mesma pessoa pode nos chamar tanto para um jugo suave quanto para uma cruz?

O jugo de Jesus é leve não porque ele nos promete tranquilidade ou sucesso, mas porque ele promete carregar os nossos fardos junto conosco. Ele promete aliviar a nossa carga.[6]

Quando eu estava na faculdade, eu conheci uma missionária na Irlanda que me fez uma simples pergunta que mudou a minha vida. Eu lhe contei meu cansaço, minhas lutas e minha dúvida. Ela ouviu com atenção e então me perguntou: "Jesus basta?"

---

5   OSBORNE, Grant. *Matthew*. Exegetical Commentary on the New Testament. Grand Rapids: Zondervan, 2010, p. 446.

6   WEBSTER, Doug. *The easy yoke*. Colorado Springs: NavPress, 1995, p. 8, 14.

UMA TAXONOMIA DE VULNERABILIDADES

Se as coisas não andavam bem, se Deus parecia distante, se os planos da minha vida ruíam — ainda assim Jesus bastaria? Ou estava buscando Jesus *e* o sucesso, Jesus *e* a felicidade, Jesus *e* um ministério frutífero? Vez após vez, na minha vida, quando me desapontei amargamente, quando fiquei assustada com o que estaria na próxima esquina, quando falhei, quando fui ferida por quem eu confiava, quando Deus não fez o que eu queria, eu precisei voltar a essa pergunta.

Jesus nos promete nada mais e nada menos do que ele próprio. Ele estará num jugo conosco e nunca deixará o nosso lado. Ele não retirará o peso que carregamos, mas ele carregará conosco. Deus não nos deve nada. Qualquer felicidade, sucesso ou sonho realizado é um presente a ser recebido com gratidão. É um extra.

Deus nos promete simplesmente ele próprio. Ele recusa ser apenas mais um meio. Pela sua misericórdia, podemos provar a vida eterna, que é definida pela Escritura não como alcançar o céu ou ver nossos sonhos se tornando realidade ou nada de ruim acontecendo conosco, mas como conhecer o verdadeiro Deus e aquele enviado por ele (João 17.3). Esta é a promessa: podemos conhecer a Deus. É pegar ou largar.

Jesus basta?

✦ ✦ ✦

Se nos iludimos com a ideia de que podemos manter uma vida de oração por pura força de vontade e esforço, o cansaço inevitavelmente estourará o nosso ego inflado. A hora mais difícil para eu orar é quando estou cansada. Disciplinas espirituais requerem energia e a fadiga transforma resolução em dissipação.

Quando nossa força evapora, quando estamos desgastados, frequentemente não consegui encontrar sentimentos fervorosos de fé ou achar as palavras para orar. E é por isso que o cansaço é quase um pré-requisito para aprender a descansar em Deus.

Também é por isso que estações de cansaço me ensinaram formas novas e diferentes de orar.

Eu sempre amei palavras, então, eu amo orações cheias de palavras.

Somente quando me aproximei dos trinta anos, numa estação de desapontamento e coração partido, quando fiquei sem palavras, foi que aprendi lentamente que havia mais na oração do que eu sabia. Eu fiquei cansada, a minha fé titubeou e eu aprendi a receber as orações da igreja como as minhas. Eu aprendi que a oração é uma tutoria, não uma performance. É a maca na qual desmaiamos e somos levados ao Médico dos médicos.

Em 2017, eu comecei a usar as completas quando não tinha nada mais o que dizer, quando eu estava cansada até os ossos e exausta até a alma e só podia receber a oração como uma dádiva.

Naquele ano eu também aprendi outras formas antigas de orar que dependiam menos de capacidades cognitivas e verbais.

Particularmente, eu me refugiei nas orações de silêncio.

Teófano, o Recluso, um padre ortodoxo russo do século 19, descreve a obra da oração silenciosa: "você precisa descer da sua cabeça para o seu coração [...] Enquanto você ainda estiver na sua cabeça, os pensamentos facilmente serão dominados, mas sempre vaguearão, como a neve no inverno ou nuvens de mosquitos no verão."[7] Essas nuvens de mosquitos — minha raiva e neurose, meus medos e dúvidas, minhas perguntas sem respostas e cansaço — ficam zumbindo ao meu redor.

---

7   Citado em LAIRD, Martin. *Into the silent land*. Nova York: Oxford University Press, 2006, p. 27.

Sentar, sem palavras, diante de Deus dá espaço para a real obra começar no meu coração.

Não é que "me ajuda" ou "Senhor, estou cansada" não sejam orações boas o suficiente. Deus ouve e ama até orações assim. Não precisamos experimentar com orações da igreja ou práticas de oração antigas para impressionar a Deus. Porém, quando estamos cansados, pode ajudar nos jogarmos naquilo que veio antes de nós, as práticas firmes de oração que a igreja transmitiu para nos salvaguardar, para este exato momento em que chegamos ao fim de nós mesmos.

Na espiritualidade cristã, há duas formas de descrever como conhecemos a Deus. Uma é a catafática, "uma tentativa real de refletir a Deus pelo uso da imaginação e das emoções."[8] A espiritualidade catafática é o caminho da energia — estudar as Escrituras, aprender teologia e oração espontânea. É uma espécie de atletismo da vida cristã, ativo e diligente.

A outra forma é a espiritualidade apofática, que é mais quieta e menos assertiva. Bradley Holt escreve em seu livro *Thirsty for God: a brief history of Christian spirituality* [Sedentos por Deus: uma breve história da espiritualidade cristã] que a espiritualidade apofática despe "o conceito de Deus de tudo que é indigno". É a *via negativa*, ou a forma negativa de se aproximar de Deus, aprendendo quem ele não é, e isso leva a "um estado de total passividade da parte do místico."[9]

Eu não sou nenhuma mística — eu gosto demais de margaritas com queijo e de dormir para jamais ser uma mística. Mas eu aprendi que, quando minha força acaba, eu estou mais aberta para formas passivas e receptivas de oração, que não

---

8   HOLT, Bradley. *Thirsty for God: a brief history of Christian spirituality.* 3ª ed. Minneapolis: Fortress Press, 2017, p. 88-89.

9   Ibid., p. 88-89.

são primariamente guiadas por meu intelecto ou emoções. Essas formas de orar me ensinam a descansar na presença inefável de Deus.

Em 2017, eu ansiava intensamente pelo silêncio — contudo, eu também o evitava. Eu considerava orações silenciosas interessantes, mas também amedrontadoras.

Poucas coisas exigem menos de nós do que simplesmente ficar sentados em silêncio, sem fazer nada. É a oração do exilado que esqueceu a linguagem da fé. Nesse sentido, é bem fácil.

Contudo, ficar sentado em silêncio é um exercício de tolerar o mistério. Lembra-nos de que há um limite para o poder de palavras e para a razão humana, assim como para uma mulher que ama palavras e argumentos.

O silêncio me deu espaço para lembrar que as minhas questões espirituais mais urgentes não são necessariamente o que vai perdurar. Ser cristão é se sentar, por mais desconfortável que seja, de frente com o mistério, com algo que não podemos precisar ou nomear muito bem. Afinal, estamos falando de Deus aqui, o criador da Nebulosa do Caranguejo, e de buracos negros, e de prótons, e de papagaios-do-mar.

O silêncio também me ensinou a ser paciente com o silêncio de Deus — continuar lutando para confiar nele quando ele não me dava respostas, sinais ou uma simples solução.

E quando estamos cansados demais até para simplesmente orar, aquele que conhece bem melhor nossos corações do que nós é quem intercede por nós. "O Espírito nos socorre na fraqueza", escreve Paulo. O Espírito daquele que disse "vinde a mim" vem a nós. Paulo continua: "pois não sabemos como devemos orar, mas o próprio Espírito intercede por nós com gemidos que não se expressam com palavras. E aquele que sonda os corações sabe qual é a intenção do Espírito; ele intercede pelos santos, segundo a vontade de Deus" (Romanos

UMA TAXONOMIA DE VULNERABILIDADES

8.26-27). Na nossa fraqueza, o Espírito de Deus não nos torna completamente competentes ou autossuficientes ou ganhadores da loteria da vida. Pelo contrário, ele ora por nós. Deus intercede por nós, sem palavras. Em nossas longas noites escuras, não sabemos como orar. Mas conhecemos a Deus, que ora por nós. E isso basta.

9

ABENÇOA OS QUE ESTÃO À BEIRA DA MORTE

Cinzas

Muitas pessoas atualmente enxergam a prática da oração com cinismo: os seres humanos têm um medo primitivo da morte e das trevas infinitas, então, inventam uma figura paternal ou uma "fada celestial" para que cuide deles (é claro, se fizerem a sua parte nessa barganha vivendo de acordo com certa moralidade).

Contudo, é nesse ponto que a oração fica interessante. A noção contemporânea de que a oração é apenas uma tentativa de barganhar com um deus imaginário ignora o fato inconveniente de que os cristãos sabem, e sempre souberam, que Deus não está a seu dispor para atender cada desejo.[1] Nós pedimos por cura, felicidade e proteção com plena ciência

---

1 Uma exceção é a teologia da prosperidade, que foi criada em solo americano e representa uma porcentagem incrivelmente pequena da visão da igreja global e histórica sobre o sofrimento. Ver DOUTHAT,

de que, pelo menos por enquanto, Deus não tem um histórico 100% quando se trata de conceder esses pedidos. Todo cristão neste mundo, vivendo tempo o suficiente, tem uma história sobre orar (e orar e orar) para que alguém fosse curado ou protegido, sendo que essa pessoa acabou morrendo. Se fôssemos crer nessa invenção de uma figura paternal ou fada celestial para nos deixar perfeitamente seguros e afofar nossos travesseiros todas as noites, bem, eu acho que ele não estaria fazendo um bom trabalho.

Na liturgia para visitação de doentes no Livro de Oração Comum na edição de 1549, o dirigente pede que Jesus cure o doente como ele curou a sogra de Pedro e a filha de Jairo. Então imediatamente após isso a liturgia se dedica a garantir que o doente tenha feito o seu testamento.[2] Um pragmatismo e tanto, não?

Então os dirigentes pediam por cura plenamente crentes de que Deus de fato podia curar, mas, como muita gente que adoecia no século 16 morria, eles se garantiam. E isso está no livro oficial de oração da igreja. Não eram as dúvidas ocultas dos céticos, mas a nossa instrução teológica coletiva: ore por cura milagrosa e depois prepare o testamento. Parece que, de geração em geração, não dá para confiar que Deus vá impedir que coisas ruins aconteçam conosco. Mas ainda assim, de geração em geração, confiamos em Deus.

Como isso é possível?

Não oramos como se fosse magia. A oração não é um encantamento para acordar um Deus adormecido. Oramos como um ato de esperança na bondade de Deus. Oramos porque

---

Ross. *Bad religion: how we became a nation of heretics.* Nova York: Free Press, 2012, p. 182-210.

2   A liturgia está disponível em <http://justus.anglican.org/resources/bcp/1549/Visitation_Sick_1549.htm>.

cremos que Deus, que não promete nossa segurança e conforto, nos ama e cuida de nós. Oramos porque nossas vidas são parte da grande história da obra redentiva de Deus. E oramos para um Criador que provou a morte pessoalmente.

✦ ✦ ✦

Na Quinta-Feira Santa, durante a Semana Santa, os anglicanos se reúnem para lembrar a última noite de Jesus na terra ao lavar os pés uns dos outros e receber a Comunhão.

No final do culto, o sacerdote desveste o altar, removendo tudo que lhe adorna — o tecido roxo, o linho, as velas — até que a frente da igreja esteja branca. Eu já vi isso ser feito de diferentes maneiras — solenemente, apaixonadamente, tristemente, atrapalhadamente. A minha cena favorita foi quando meu antigo pastor, que já tinha atuado em teatros e tinha um jeito dramático, pisaria no altar e arrancaria os revestimentos. Parecia um adolescente sendo forçado a limpar o seu quarto ou um funcionário demitido esvaziando a sua mesa.

Ele fazia isso de propósito; o objetivo era tratar o sagrado como se não tivesse valor; se aproximar do altar não em adoração, mas em furor. Esvaziar o altar transfere a igreja da beleza da última ceia para o sofrimento terrível do Getsêmani e da Sexta-Feira da Paixão. Então, já no escuro, alguém lê o Salmo 22: "Deus meu, Deus meu, por que me desamparaste? Por que estás longe de dar-me livramento, longe das palavras do meu clamor?" Mesmo esse salmo, que inclui tanto tormento nos seus versos — "eu sou um verme e não homem"; "cães me rodeiam; um bando de malfeitores me cerca; perfuraram-me as mãos e os pés" —, termina em confiança: "A posteridade o servirá; a geração futura ouvirá falar do Senhor. Chegarão e anunciarão a sua justiça; contarão o que ele fez a um povo que ainda surgirá."

Jesus citou este salmo na cruz. E a cada ano ouvimos e meditamos suas palavras — a oração de Jesus e a nossa — com o altar vazio, em completa escuridão.

Em 2017 eu preguei em um culto na Quinta-Feira Santa. Então eu fui para um cômodo adjacente ao santuário e chorei, tentando segurar os meus gemidos. Eu estava totalmente fora de mim. Eu temia distrair minhas ovelhas, enquanto elas meditavam em silêncio contemplativo tentando ignorar os soluços abafados da pastora no quarto do lado. A minha congregação me via chorar na igreja o tempo todo, mas isso era diferente — era uma expressão gutural de puro luto.

As minhas lágrimas correram naquela noite porque a igreja tinha me lembrado, no ritual, no salmo e na escuridão, que Jesus tinha experimentado a morte. Ele sabia como era morrer. Eu não.

No inverno anterior, noite após noite, eu tinha me perguntado como tinha sido para o meu pai morrer. Eu imaginei seus últimos momentos vez após vez, mais do que eu queria. Eu me perguntei se ele sabia o que estava acontecendo. Ele tinha me dito que conversaríamos no dia seguinte. Será que ele sabia que aquela noite era a sua última noite? Ele estava com medo? Ele estava pronto? Havia coisas que ele queria ter mais tempo para poder dizer? Morrer doía? Parece com cair no sono ou com uma luta? Ele viu a Deus? O que meu pai via agora, depois da morte? O que ele sabia? O que ele não sabia?

E o que me impressionou, e trouxe tanto choque quanto conforto, foi perceber que o Deus que adoro sabe exatamente como é morrer. Ele sabe o que a morte significa para seres humanos. É uma experiência que o próprio Deus escolheu compartilhar com o meu pai, e com todos nós. Eu não tenho ideia de como é morrer — mas Jesus tem. Ele conhece o sentimento das células perderem oxigênio, a parada cardíaca e a dificuldade de respirar.

Não há escuridão à qual ele não tenha descido. Ele conhece a textura e o sabor de tudo que eu mais temo.

Naquela Quinta-Feira Santa, a igreja ficou comigo no escuro, lembrando a agonia e o abandono de Jesus. Lembrando a morte dele.

✦ ✦ ✦

O hipocentro da experiência humana de vulnerabilidade é o fato de que todos morreremos, nós e quem mais amamos.

Eu odeio isso com todas as minhas forças.

Uma coisa que me atrai no cristianismo é a permissão de odiarmos a morte. Eu não preciso fingir que as trevas são menos escuras do que são. Eu não preciso aceitá-las estoicamente como parte do círculo da vida. A morte é um inimigo.

No seu livro *The doors of the sea* [As portas do mar], David Bentley Hart escreve: "a nossa fé está num Deus que veio resgatar a sua criação do absurdo do pecado, do vazio e do desperdício da morte, das forças — quer a malícia planejada, quer o acaso imbecil — que esmagam almas vivas; e então temos a permissão de odiar essas coisas com um ódio perfeito."[3]

Eu amo a vida neste mundo. O cheiro de lavanda, o estalado de guitarra, nuvens cinzas cheias de chuva. E nossos corpos gloriosos que possibilitam usufruir disso tudo — esses vasos santos nos permitem provar o sal e mastigar frango frito. Estar vivo é uma experiência irredutivelmente sensual.

---

3   HART, David Bentley. *The doors of the sea: where was God in the tsunami?* Grand Rapids: Eerdmans, 2005, p. 101.

UMA TAXONOMIA DE VULNERABILIDADES

A fé cristã nunca diz para falar que tudo está bem com a morte. Fomos feitos para viver, inteiros e com nossos corpos, para usufruir este mundo maravilhosamente sensual.

Qualquer que seja a metafísica da morte, chega uma hora que nossos corpos se vão. Não tem mais gosto, cheiro ou som. Mas não era para ser assim.

Se sentimentalizamos a morte e minimizamos sua brutalidade, nós acabamos, muitas vezes, inconscientemente, diminuindo a esperança da ressurreição. O poder do pecado ameaça nos roubar tudo que é amável e brilhoso neste mundo.

Mas o próprio Deus entrou plenamente nesta fragilidade, viveu neste mundo onde as coisas definitivamente não são como deveriam ser e encarou a escuridão do túmulo.

A morte é um inimigo. Mas a morte agora é um inimigo derrotado.

O cristianismo parece não se importar com paradoxos. A morte é chamada de "lucro" pelo apóstolo Paulo (Filipenses 1.21), em parte, porque, enquanto a Morte com "M" maiúsculo — a maldição da morte e do pecado — estiver agindo no mundo, o fim da vida pode, às vezes, ser um alívio bem-vindo do sofrimento. Eu conheço algumas poucas almas corajosas e fiéis que estavam prontas para partir — que até pediram para que não orássemos por cura. Elas não sabiam como era morrer, mas elas sabiam, de algum modo misterioso, que estar "ausentes do corpo" seria estar "presentes com o Senhor" (2 Coríntios 5.8).

Que podemos estar "presentes com o Senhor" mesmo sem nossos corpos é boa nova. Mas não é nossa esperança suprema. A cada semana proclamamos no Credo Niceno: "esperamos pela ressurreição dos mortos e pela vida no mundo porvir."

Jesus cuida de seus amados na morte, mas a morte não é nossa amiga, nem nosso destino final. Não é aquilo para o que fomos feitos. Como N.T. Wright disse, "o céu é importante, mas não é o fim do mundo."[4] No final da história, não vamos flutuar suavemente no além. Veremos e contemplaremos — na verdade, apalparemos — este bom e velho mundo renovado. Por meio de sua ressurreição, Jesus promete que tudo que amamos neste mundo vai durar. Vamos provar, cheirar, sentir e tocar tudinho que Deus chamou de bom.

✦ ✦ ✦

Toda noite, ao deitarmos nas nossas camas quentinhas e confortáveis, alguém está morrendo. Então, no cair da noite, nos lembramos dessas pessoas.

Esta parte da oração se tornou especialmente importante para mim depois da morte do meu pai. Pois uma noite eu fui dormir e, na manhã seguinte, ao acordar, o meu pai não estava lá. Uma mera noite de sono pôde levá-lo para um mundo novo e assustador que não reconhecemos. Naquela noite que meu pai morreu, Deus sabia disso. Eu não.

Então quando recitamos "abençoa os que estão à beira da morte", eu sei muito bem que não sei por quem estou orando. Pode ser qualquer um de nós. Estamos todos "à beira da morte".

Mas o que me intriga nesta oração não é o reconhecimento do óbvio fato da morte. É que pedimos para que Deus "abençoe" quem está à beira da morte. Eu nunca teria inventado uma oração dessas. É o tipo de mudança de paradigmas que só pode acontecer quando eu permito que a igreja me diga como orar. Por conta própria, eu oraria para "salvar os que vão morrer." Ou para "socorrer os que vão morrer." Com certeza, "impede a morte dos que estão morrendo." Talvez, se

---

4   WRIGHT, N.T. "The road to new creation". NT Wright Page, 23 de setembro de 2006. <https://ntwrightpage.com/2016/03/30/the-road-to-new-creation/>.

necessário for, "ressuscita os que vão morrer." Mas "abençoar" quem vai morrer? O que isso significa, afinal? Essas pessoas estão morrendo! Que tipo de bênção bastaria? E aqui a minha confusão me mostra que não só eu sei pouco sobre a morte, como também não sei muito bem o que é ser abençoado.

A palavra *bênção* foi banalizada nos nossos dias. Somos *#abençoados* com um carro novo ou uma bolsa cara. Ou talvez com um aumento, um casamento ou um bebê novo nascendo. Somos gratos por essas bênçãos. Mas como isso ajuda quando estamos morrendo? A morte revela a futilidade de boa parte do que buscamos na vida. Ela expõe qualquer entendimento anêmico do que é bênção.

Nas Escrituras, a ideia de *abençoado* pode ser aplicada para descrever os pobres, os que choram, os famintos, os que se arriscam pela paz ou os que são perseguidos (Mateus 5.3-12). Essas profundas vulnerabilidades humanas geram um tipo especial de bênção. O que significa encontrar bênçãos nos momentos mais escuros de nossas vidas? O que significaria Deus responder nossas orações e abençoar quem está à beira da morte?

Estamos de cabeça para baixo. Não sabemos o que é melhor para nós. O que eu mais temo frequentemente é exatamente aquilo que me libertaria. Os lugares desolados na minha vida que mais quero evitar são justamente os lugares onde Deus espera para me encontrar. O que eu mais quero — e que eu mais seguro, com os dedos brancos de tanto esforço — muitas vezes é aquilo que, se não fosse pela intervenção graciosa de Deus, me diminuiria, ou até me mataria. A forma de salvar a minha vida é perdê-la.

Boa parte de nós já ouviu isso de novo e de novo, mas acreditar nisso requer reeducar nossas mentes para que a cabeça fique para cima, e não para baixo. Isso vai completamente contra o que sentimos ser natural porque frequentemente a autopreservação, senão a autoadoração, é o que sentimos ser mais natural.

Confiar em Deus na nossa vulnerabilidade é voluntariamente entrar num exercício vitalício de se afinar com o que verdadeiramente é ser abençoado e como isso muitas vezes se encontra no último lugar em que procuraríamos. A palavra que Jesus usa no Sermão do Monte, que pode ser traduzida como "abençoados", é *makarios*, que o estudioso bíblico Jonathan Pennington traduz como "realizados".[5] Realizados são os que choram. Realizados são os pobres de espírito. Realizados são os mansos. A minha ideia de realização humana, na qual fui educada desde nascer por milhares de propagandas e celebridades, certamente não passa por choro, mansidão, pobreza ou perseguição.

Pennington também demonstra como Jesus incorpora cada bem-aventurança.[6] Se você quer ver o que é realização humana — o que é bênção mesmo —, não procure algo além de Jesus, o homem de dores. Ele viveu uma vida desconfortável de pobreza, nunca se casou ou fez sexo, e morreu torturado, abandonado por seus amigos, sendo razoavelmente desconhecido. Aqui está a figura impressionante do Bendito, o Ungido de Deus. Conhecer a Jesus é aprender a andar o estranho caminho da realização humana, da vida abundante.

Estamos sempre em algum lugar entre o altar vazio da Quinta-Feira Santa e a glória dos sinos de Páscoa. A nossa existência se trata de uma situação irredutível de vida ou morte.

---

5 PENNINGTON, Jonathan. *The sermon on the mount and human flourishing: a theological commentary.* Grand Rapids: Baker Academic, 2017, p. 41-68.

6 Ibid., p. 149.

Provamos de tudo: a celebração e a perda, a gentileza e a traição de quem amamos, a doçura e a dor, a beleza e as cinzas.

A doutrina e a prática cristãs nos chamam para uma história de vida ou morte — uma história que não escrevemos.
Então quando pedimos para Deus abençoar quem está à beira
da morte, estamos entregando a Deus a decisão de como isso
será. É claro que a bênção pode ser que a pessoa não morra
agora. Mas também pode ser que ela morra bem — que a sua
morte, como a sua vida, seja parte da bela história de Deus e
que, mesmo em seu último fôlego, ela seja uma pessoa realizada.

✦ ✦ ✦

Jaroslav Pelikan disse que "Cristo veio ao mundo para
ensinar aos homens como morrer", para "aceitarem a sua mortalidade e, ao aceitá-la, viverem por meio dele."[7] Não podemos
viver bem se negarmos a verdade de nosso destino. Um dia eu
vou conhecer bem a morte, num encontro íntimo e pessoal.
Essa realidade precisa mudar como eu vivo tão decididamente
quanto o oceano molda o litoral.

Lembrar da nossa morte nos informa sobre como viver
nossas vidas. Ao aceitar a nossa mortalidade, ao invés de ne-
gá-la, sentimentalizá-la ou fugir dela, precisamos aprender a
viver por meio de Cristo. Desistimos da corrida maluca de
viver simplesmente para continuar vivos. Nós vivemos sabendo
que nossa riqueza, força e conquistas são efêmeras como nosso
respirar. Vivemos com a morte em vista para que vivamos à luz
da esperança da nova vida — sabendo que o único caminho
para a ressurreição é por meio das trevas.

Na *Regra de São Bento*, Bento recomenda certos "instrumentos de boas obras":

---

7   PELIKAN, Jaroslav. *The shape of death: life, death, and immortality in
the early fathers.* Nashville: Abingdon, 1961, p. 55.

ABENÇOA OS QUE ESTÃO À BEIRA DA MORTE

Ter diariamente diante dos olhos a morte a surpreendê-lo.
Vigiar a toda hora os atos de sua vida.
Saber como certo que Deus o vê em todo lugar.[8]

Lembrar a nossa morte não significa gostar dela — não somos chamados para uma celebração gótica das trevas. Mas lembrar, diariamente, que vamos morrer nos ensina como viver. Permite-nos saber que a hora de buscar a Deus, a hora de restaurar relacionamentos, a hora de socorrer a outros e abençoar ao mundo ao nosso redor é agora — porque pode ser a última. Meditar sobre a nossa mortalidade nos ensina a viver à luz da grande história da qual fazemos parte, a localizar nossas pequenas alegrias ou tragédias no escopo da eternidade.

A Quarta-Feira de Cinzas se tornou central na minha experiência do tempo. A cada ano, eu preciso da realidade da morte proclamada sobre mim e sobre meus filhos. Eu preciso da comunidade da igreja para me lembrar da minha mortalidade. Eu posso ser tentada a pular rápido demais para a ressurreição, a ignorar a parte triste, mas o calendário litúrgico requer que eu pare e note o acorde tensionado da realidade presente.

Na minha primeira liturgia de Quarta-Feira de Cinzas, cerca de dez anos atrás, eu me ajoelhei num templo tranquilo e me surpreendi com um sentimento de raiva quase inexprimível. Enquanto o sacerdote marcava cada testa com uma cruz de cinzas, eu me sentia como se ele estivesse nos marcando para a morte. Eu estava com raiva da morte. Eu estava com raiva do sacerdote como se fosse culpa dele.

Eu não quero encarar a realidade da vulnerabilidade — especialmente a vulnerabilidade de quem eu amo. Eu sou privilegiada e saudável o suficiente para manter a minha ilusão

---

8   BENTO DE NÚRSIA. *Regra de São Bento*. Tradução e notas de Dom João Evangelista Enout. Rio de Janeiro: Lumen Christi, 1992.

de controle. Eu me distraio da fúria uivante do sofrimento e da mortalidade. Eu olho o Facebook. Eu tuíto. Eu mergulho na controvérsia política do momento. Fico ocupada. Encho a minha vida com milhares de coisas para evitar perceber a sombra da morte.

Mas eu não consigo. Eu bato de frente com ela de formas grandes e pequenas todos os dias. Sono, doença, cansaço e a própria noite são como cinzas comuns e involuntárias nas nossas testas. Elas nos dizem: lembra que você vai morrer. E esses sinais diários da mortalidade são, quando transformados pela misericórdia de Deus, instrumentos de boas obras.

Quando fui ordenada, eu de repente me tornei quem marcaria as outras pessoas com o lembrete de sua morte durante a Quaresma. De certa forma, eu amo oficiar na Quarta-Feira de Cinzas. É totalmente contracultural. Em meio ao nosso otimismo ocidental brilhoso e privilegiado, a igreja proclama. Ela nos força a encarar a realidade. Diante da tentação de uma negação banal da mortalidade, eu guio a minha congregação a uma verdade inevitável: "não se esqueçam", eu digo, "vocês são pó. Você e eu e todo mundo que conhecemos vai morrer. Aquilo para o que vivemos é fugaz. Segure-se no que é real." É o meu momento mais *punk* do ano.

Contudo, não sou sadista. Parte de mim odeia dirigir a liturgia na Quarta-Feira de Cinzas, porque a inevitabilidade da morte — e ainda mais o poder da Morte com M maiúsculo e o pecado — é uma péssima notícia. Ninguém entra no ministério para proclamar péssimas notícias. Fazemos votos de vida para a igreja porque queremos oferecer esperança, queremos estender as boas novas que recebemos sobre Jesus renovar o mundo todo.

Na primeira vez que eu marquei uma criança com uma cruz de cinzas, eu chorei o resto do culto. Jonathan também não aguenta. Ele se segura até passar pelas crianças que conhecemos. Os nossos filhos ou seus amigos se ajoelham na nossa frente com rostinhos brilhando com expectativa, tão belos que o coração mal aguenta. E o nosso trabalho é marcá-los com a morte. Ele chora o resto do culto. Nós ficamos mal na Quarta-Feira de Cinzas. Eu espero que sempre seja assim.

Eu espero que parta o meu coração todas as vezes que eu marcar alguém com um lembrete da morte porque o poder da Morte parte corações. Não é um fato com que nos acostumamos. Vale a pena chorar por isso.

Quando oramos para que Deus "abençoe os que estão à beira da morte", lembramos daqueles que estão no ponto mais alto de nossa vulnerabilidade. Lembramos aqueles que a fragilidade humana supera tudo o mais e que — ao menos temporariamente — vão embora.

Contudo, quando fazemos isso, lembramos que nós também estamos à beira da morte. Quando pedimos para que Deus abençoe quem vai morrer, pedimos que ele nos abençoe. Vigiamos à procura do reino vindouro, mas também vigiamos para como Deus irá nos encontrar neste mundo atual, à beira da morte.

Estamos morrendo, cada um de nós e todos nós. Porém, o tipo de bênção que mais precisamos é aquela que vem a quem morre — uma bênção que passamos a vida evitando, uma bênção encontrada somente nas trevas. No lugar de nossa maior desolação, encontramos o próprio Deus.

10

CONSOLA
OS QUE SOFREM

Consolo

Quando minha filha mais velha estava aprendendo a ler, ela às vezes nos pedia para ser responsável por ler as completas para toda a família. Ao fazer esta oração, ela pedia confiante para Deus "colar" os que sofrem, que é como a nossa família ora ainda hoje em sua homenagem.

As categorias da vulnerabilidade humana — os doentes, cansados, moribundos, sofredores, aflitos e alegres — não são caixinhas claramente demarcadas na qual podemos nos encaixar perfeitamente. Elas se intercalam. Os doentes, os que estão à beira da morte, os cansados e os aflitos são também "os que sofrem". Contudo, oramos por todos eles, um por um. Isso não é por acaso ou só para encher linguiça. Orar por cada um nos permite pausar para honrar cada tipo de necessidade humana. Nós provamos notas diferentes em cada vinho amargo de miséria humana.

A nossa humanidade comum pode ser encontrada em nosso sofrimento compartilhado. Qualquer um de nós sofre perdas. O coração de qualquer um de nós já foi partido. Cada um de nós sabe o que é ficar desapontado. Contudo, precisamos

UMA TAXONOMIA DE VULNERABILIDADES

equilibrar o aspecto comum de nosso sofrimento com o fato de que as dificuldades não são distribuídas uniformemente.

Alguns recebem coisas piores do que os outros. Alguns de nós carregam fardos especialmente pesados.

É difícil discutir o sofrimento em geral, já que ele cobre um terreno tão vasto e diverso da experiência humana. Há aflições físicas, emocionais e espirituais — e experimentamos cada uma dessas formas em um contexto singular. O sofrimento não pode ser generalizado.

Contudo, aqui estamos nós, pedindo para Deus consolar os que sofrem. Ou colá-los, no caso de alguns.

Orações escritas — as orações das completas, dos salmos ou qualquer outra oração recebida — não são estáticas. Ao orarmos cada uma delas, lemos nossas vidas nessas palavras que oramos. As nossas biografias moldam o nosso entendimento dessas orações tanto quanto essas orações moldam a nós e a nossas biografias.

Ao longo dos anos que orei as completas, eu passei a considerar "os que sofrem" como quem está passando por uma dor especialmente intensa. Há eventos particulares que dividem nossas vidas entre antes e depois. Há estações de profundas trevas, fracasso e perda que nos deixam marcas indeléveis.

O ano de 2017 me tornou uma outra pessoa. Antes disso, eu nunca tinha perdido um pai ou um bebê. Agora eu já perdi ambos. Por um intervalo de mais ou menos seis meses, eu estava sofrendo profundamente (e fiquei de luto por um bom tempo depois também). Durante esse ano, a noite amplificava cada solidão e perda; as dores ecoavam e a angústia rugia. A tristeza era palpável e aguda. As coisas na minha vida que estavam sólidas se abalaram e a reconstrução ainda não tinha começado.

Distinguo aqui entre "os que sofrem" e os "aflitos" porque, embora períodos de sofrimento nos transformem — enquanto

166

eles mudam a geografia de quem somos —, certas feridas diminuem com o tempo. O sofrimento vai e vem. Ele não desaparece por completo, mas aprendemos a viver de novo.

A oração pelos aflitos, que vem depois nesta litania de vulnerabilidades, trata o sofrimento crônico, de longo prazo. Porém antes nós oramos para quem está no seu pico, naqueles tempos intensos de crise ou perda. Oramos por quem está naquele momento em que a agonia e o esforço de viver — de simplesmente aguentar viver mais um dia — é difícil e árduo, quando as trevas parecem tão vastas e aterrorizantes que ameaçam sufocar todo o resto.

Quando o sofrimento de alguém se torna longo e constante o suficiente para ser considerado um "aflito"? Não há um critério claro. Nem sempre sabemos se o sofrimento pelo qual passamos é temporário ou permanente. Não saber faz parte de nossa vulnerabilidade, e do que torna o sofrimento assustador e difícil. Não sabemos quanto tempo vai durar. Não sabemos quando a cura vai chegar.

✦ ✦ ✦

Segundo Simone Weil, "a suprema grandeza do cristianismo está no fato de que ele não busca um remédio sobrenatural para o sofrimento, mas sim um uso sobrenatural dele."[1] Os cristãos sempre consideraram o sofrimento não só como um lugar de dor, mas também um lugar para encontrar a Deus. O sofrimento não acontece simplesmente *conosco*. Ele age *em* nós.

Santo Isaque, o Sírio, escreveu: "o Amor de Deus procede de nossa conversa com ele; esta conversa de oração acontece por meio da quietude, e a quietude chega com desnudar-se de

---

1   WEIL, Simone. *Gravity and grace*. Nova York: Routledge, 2002, p. 81.

si mesmo."[2] Observe a ordem: aprender a amar a Deus flui da oração, que flui da quietude, que flui de "desnudar-se de si mesmo"— o abandono excruciante de nossos desejos e planos.[3]

O sofrimento é desnudar-se de si. Isso parece ser uma dor terrível, e é. Mas o sentido e o objetivo do sofrimento não é a dor; é aprender a dar e receber amor. Deus não é um sádico que tem prazer em usar a dor para nos dar uma lição. Mas, na alquimia da redenção, Deus pode pegar o que é só angústia e transformar no exato caminho pelo qual aprendemos a amar a Deus e nos deixarmos ser amados por ele. Esse é o estranho (e às vezes involuntário) caminho da vida abundante — a morte necessária para a ressurreição. Scott Cairns escreve: "o jeito difícil na verdade é o único jeito que a maioria de nós tem para aprender. A aflição, o sofrimento e a dor são — ainda que sejam só isso — bem efetivos."[4]

Há um grupo enorme de flores que só desabrocham à noite. Damas-da-noite, prímulas noturnas e outras flores que apenas desabrocham nesse período somente podem ser contempladas em sua glória completa caso você se aventure no escuro. E há coisas nas nossas vidas espirituais que também só desabrocharão no escuro.

Eu tenho medo do escuro, mas cada vez mais tenho mais medo de perder o tipo de beleza e de crescimento que só pode ser encontrado ali.

✦ ✦ ✦

Tanto Paulo quanto Pedro nos dizem que o nosso sofrimento partilha do sofrimento do próprio Cristo (Filipenses

---

2   Citado em CAIRNS, Scott. *The end of suffering: finding purpose in pain*. Brewster: Paraclete Press, 2009, p. 11.

3   Ibid.

4   Ibid.

3.10; 1 Pedro 4.13). Ao sofrer, descobrimos não só uma descida até às profundezas da angústia, mas também — muitas vezes lentamente e sempre miraculosamente — uma subida à real vida de Cristo. Não apenas Jesus se digna estar conosco no túmulo de um ente querido ou na triagem do pronto socorro, mas também em nosso sofrimento nos juntamos a ele no tormento do Getsêmani, na tortura da cruz e nas trevas do seu sepulcro.

Paulo até diz que o sofrimento dele completa "o que resta do sofrimento de Cristo" (Colossenses 1.24). Isso já confundiu teólogos demais para se contar (e levou a muitos debates, o que dá emprego para eles, aliás). O que isso significa? Eu não acho que quer dizer que Jesus não sofreu o suficiente, então precisamos dar alguns centavos de dor da nossa parte para fechar a conta da salvação. Mas significa de fato que nos encontrarmos em Jesus sempre implica conhecê-lo na dor e no sofrimento. Como Agostinho colocou, "os sofrimentos de Jesus não foram deficientes, mas eles também continuam na igreja e por meio da igreja."[5] Em Cristo, Deus não comprou para nós um ticket para uma vida de conforto e felicidade sem fim. Pelo contrário, somos unidos a ele, de modo que crescemos na história dele por meio das nossas histórias. A biografia de Jesus continua por meio de nós, por meio da igreja, até mesmo — e talvez especialmente — nas nossas adversidades.

Martinho Lutero distinguiu entre a "teologia da cruz" e a "teologia da glória". Numa teologia da glória, Deus mostra a sua fidedignidade distribuindo prazer, prosperidade e liberdade de sofrimento aos justos. Em contrapartida, a teologia da

---

5   AGOSTINHO. Sermão 331.12. *Sermons 341–400 on various themes.* The works of St. Augustine for the 21st century. Hyde Park: New City Press, 1995, p. 27.

UMA TAXONOMIA DE VULNERABILIDADES

cruz descobre Deus "oculto no sofrimento".[6] Uma teologia da glória possui a mesma lógica que qualquer império: poder, dinheiro e prazer são as coisas realmente grandiosas. A teologia da cruz ensina que o reino de Deus está de ponta-cabeça — Deus está mais presente nos momentos mais escuros de nossas vidas.

Somos tentados a ver bem-estar, riqueza e sucesso como sinais do favor de Deus e o sofrimento como o lugar da ausência de Deus ou como castigo pelo pecado. Se, quando lidamos com dor e decepção, nos perguntamos se Deus realmente se importa conosco, absorvemos a teologia da glória. Estamos buscando um Deus que impedirá coisas ruins de acontecerem conosco.

Amar a Deus por meio do sofrimento significa aprender que, quando procuramos sinais da obra de Deus em nossas vidas, frequentemente elas estarão no último lugar em que procuraríamos: na fraqueza, na dor, na cruz.

Então precisamos ser impassíveis ou até otimistas quando carregamos uma cruz? Não. O próprio Jesus não mostrou sinal algum de placidez na cruz. Ele chorou, lamentou e clamou a Deus na angústia, admitindo sua necessidade, sua dor, sua sede. Não precisamos varrer a dor para debaixo do tapete — a nossa ou de qualquer outra pessoa. Nós podemos chorar.

Contudo, mesmo ao chorar, olhamos para aquele que as Escrituras chamam de "Deus de toda consolação".

✦ ✦ ✦

O próprio Deus é o consolador. É um dos sentidos de *parakletos*, o nome que Jesus dá ao Espírito Santo, literalmente aquele "chamado ao nosso lado" para nos ajudar.

---

6   LUTERO, Martinho. *Disputa de Heidelberg* (1518), < https://bookofconcord.org/sources-and-context/heidelberg-disputation/>

Compartilhamos dos sofrimentos de Cristo com a promessa de que "assim também a nossa consolação transborda por meio de Cristo" (2 Coríntios 1.3-7).

Nos primeiros versículos da segunda epístola de Paulo aos coríntios, as palavras *consolo* e *sofrimento* dançam bastante uma com a outra. C. FitzSimons Allison diz que o que se vê aqui é a "conexão essencial" entre o Espírito Santo e o sofrimento tanto de Cristo quanto nosso. Paulo, que nunca se importou de soar repetitivo, menciona o consolo dez vezes e o sofrimento sete vezes em algumas poucas frases. Allison resume esses versículos dizendo que, enquanto o desejo de escapar do sofrimento seja compreensível, fazê-lo nos faz "abrir mão da verdadeira vida, da paz, da comunhão, da perseverança, do caráter, da esperança e, acima de tudo, do Consolador de Deus."[7] Andar com Deus no sofrimento é conhecer angústia, confusão, frustração e dúvida, mas também, no tempo certo, encontrar o consolo que nossas almas mais anseiam e não podem encontrar em nenhum outro lugar.

No final das contas, nós apenas encontramos consolo na presença do Consolador.

Porém, é uma estranha espécie de conforto. É difícil de conseguir. Não é o conforto de lençóis de luxo e trufas de chocolate, ou de uma boa xícara de chá e um cobertor quentinho, embora certamente sejam bênçãos de Deus. O conforto que encontramos no sofrimento não se trata de luxo ou aconchego.

O que se oferece é o que Santo Isaque, o Sírio, chamou de "visão da alma". O sofrimento nos dá novos olhos; ele nos ensina a ver no escuro. E o que aprendemos a ver? Luz, esperança, alegria, até o próprio Deus, de formas novas e profundas.

---

7   ALISSON, C. FitzSimons. *The cruelty of heresy*. Nova York: Morehouse Publishing, 1994, p. 31.

Uma taxonomia de vulnerabilidades

Em nosso sofrimento, podemos receber este dom da "visão da alma", mas não é necessariamente o que acontece. Estamos tão livres para amaldiçoar a Deus por nosso sofrimento quanto para buscá-lo nele. Mas se é para descobrirmos aquilo que só desabrocha no escuro, se é para encontrarmos alguma glória em nossas cruzes, precisamos cooperar com a obra que o sofrimento faz em nós.

Aparentemente se trata de uma vocação maluca: cooperar com Deus em nosso desfazimento.

As cruzes que somos chamados a carregar nunca são as que escolhemos. Contudo, as práticas cristãs de oração nos ajudam a receber o crescimento que vem das formas que menos desejamos. O sofrimento — o "desnudar-se de si" — não é inerentemente bom ou valioso. É imprestável a não ser que leve à quietude, e depois à oração, e, finalmente, ao amor de Deus.

Na famosa litografia de M. C. Escher, uma mão desenha outra mão, a qual, por sua vez, está curvada desenhando a primeira mão — um círculo de mãos se desenhando. No sofrimento, há outro círculo misterioso: oramos para suportar o mistério do sofrimento e o mistério do sofrimento nos ensina a orar. E no final de tudo está o amor de Deus. É isso que descobrimos no centro do círculo.

✦ ✦ ✦

O consolo na dor é uma necessidade humana. Precisamos de conforto tanto quanto precisamos de comida e de água. Então se não encontramos repouso em Deus, o Consolador, inevitavelmente buscaremos em outro lugar, e o que habitualmente buscamos como conforto será eventualmente o que adoramos. Isso se torna o nosso deus. Mas quando outros confortos, por melhores que sejam, se tornam o refúgio de nossa alma, eles tendem a nos matar.

A música "Creature Comfort" [confortos criados] da banda Arcade Fire fala sobre "a mentira branca da prosperidade americana." A música trata de automutilação e suicídio, garotos que "se odeiam" e garotas que "odeiam seus corpos." Esses sofredores fazem uma oração assustadora durante a música:

Deus, me faz famoso
Se não dá, só tira a dor
Só tira a dor.[8]

"Me faz famoso ou tira a dor." De todo modo, tira os sentimentos terríveis de fraqueza e amargura.

Nos momentos em que a angústia é tão profunda que eu posso senti-la no meu corpo, eu quase que instintivamente vou para qualquer coisa que eu posso usar como morfina: internet, televisão, carboidrato, atividade física, sono, ficar acordada até tarde, vinho, chocolate, trabalho, redes sociais.

Dennis Byrne escreveu na *Chicago Tribune*: "hora de admitir: somos uma nação de viciados." Ele diz que cerca de 40 milhões de americanos estão viciados em drogas ou álcool — apenas duas das milhares de coisas que usamos para aliviar a dor. Byrne diz que a nossa sociedade abraça "tantos vícios que é difícil listar todos." Não é só a lista padrão de sexo, pornografia, tabaco e álcool, mas também comida, videogame, internet, doces, trabalho, curtidas e muito mais. Ele pergunta: "Do que estamos fugindo tanto que somos obrigados a procurar, criar e ter overdose em tantas fontes diferentes?"[9]

---

8   ARCADE FIRE. "Creature comfort". *Everything now* (2017).
9   BYRNE, Dennis. "We're a nation of addicts" *Chicago Tribune*. 2 de fevereiro de 2015. <https://www.chicagotribune.com/opinion/commentary/ct-institute-of-drug-abuse-gallup-0203-20150202-story.html>

UMA TAXONOMIA DE VULNERABILIDADES

No seu livro *The Elephant in the Room* [O elefante no quarto], Tommy Tomlinson explora seu vício em comida. Ele fala por todos nós com seus diversos vícios: "Este é o truque cruel da maioria dos vícios. Eles são excelentes para o conforto no curto prazo. Eu estou com fome, estou sozinho e preciso sentir que faço parte do mundo. Outras pessoas aliviam essas dores com uma garrafa ou uma seringa. Eu as alivio com hambúrgueres e batatas fritas. Isso posterga a dor um pouquinho."[10] Quando estamos sofrendo, precisamos de consolo e, quando não temos ideia de onde procurar, aprendemos a postergar a dor um pouquinho.

O sofrimento precisa de consolo, e não de anestesia. Precisamos de esperança de verdade, do tipo que pode nos fazer aguentar a noite.

Certamente Deus nos consola com as coisas boas da terra, o cheiro de café ou o som da chuva num teto fino. Mas quando as correntes de sofrimento se somam mais e mais, fica claro que os consolos em criaturas nunca serão suficientes, afinal. Mesmo as boas dádivas nos diminuem quando as buscamos compulsivamente em nossa dor.

Por outro lado, Deus não tira a nossa dor. Mas Deus é o verdadeiro Consolador.

Passar pelo sofrimento como cristão — compartilhar dos sofrimentos de Cristo — significa que precisamos encarar as trevas. Precisamos sentir o que odiamos sentir — tristeza, perda, solidão. Precisamos beber o cálice amargo que recebemos. Sem atalhos. Sem passe livre. Mas é um estranho tipo de conforto. É a única forma de descobrir um consolo substancial o suficiente para carregar o peso de nossas almas.

---

10   TOMLINSON, Tommy. *The elephant in the room: one fat man's quest to get smaller in a growing America*. Nova York: Simon & Schuster, 2019, p. 100.

Tudo em nós quer anestesiar a dor. Então nesta oração pedimos por consolo — para nós e para outros — porque, se nos anestesiarmos com prazeres ou distrações, perderemos o conforto permanente que só pode ser recebido na vulnerabilidade. O consolo no sofrimento vem, somente e sempre, como uma dádiva.

✦ ✦ ✦

O ascetismo cristão está fora de moda. Qualquer negação do prazer é associada com o pior tipo de legalismo puritano. Enquanto desintoxicações e dietas do momento são tendência, a abnegação para formação espiritual é suspeita. Celibato, castidade e abstinência são descartados como absurdos, senão destrutivos, associados com um desprezo pelo corpo e contrariados pela "positividade sexual". Jejum é exagero e fanatismo. Presumimos que a fé nunca deveria nos fazer nos sentirmos mal, então o ascetismo é considerado inútil, legalista ou desumano.

Preciso admitir desde já: sou a menor das ascetas. A julgar pelos critérios de quase todo mundo na igreja antiga, eu sou uma hedonista. Eu não tenho muito orgulho disso. Contudo, quando se trata de chocolate ou de dormir tarde ou de tempo de tela, eu tenho tanto autocontrole quanto um hamster bêbado. Sou péssima em jejuar. A quaresma para mim normalmente se trata de uma aventura em fracassos. Duas vezes eu já abri mão da quaresma na quaresma, no que apenas pode ser descrito como uma recaída completa. Se você quer alguém para pregar sobre a glória de Deus nas coisas da criação, os prazeres que nos levam ao deslumbramento e à adoração, a bondade espiritual que pode ser encontrada em sorvetes ou num sábado sem nada para fazer ou numa longa soneca, conte comigo. Já escrevi tratados sobre o eterno valor de prazer e beleza, e eu mantenho absolutamente tudo o que falei. Contudo, a austeridade cristã — um abraço temporário do sofrimento por um amor maior — também é incrivelmente significativo no testemunho da igreja e na prática da espiritualidade cristã.

Não há contradição aqui. O ascetismo cristão nunca buscou negar a bondade da matéria ou do corpo. O cristianismo é uma fé terrena e que afirma os prazeres. Mas os cristãos frequentemente praticaram a abnegação a fim de aprender a usufruir das coisas boas no lugar delas.

Abraçamos práticas ascéticas para aprender a sofrer. Sabemos que inevitavelmente teremos de sofrer, então nos adiantamos. É um exercício de desconforto. Treinamos nossa necessidade por conforto como as pessoas adestram bichinhos de estimação. Ao fazê-lo, aprendemos com o tempo como entrar num consolo que é mais profundo do que é oferecido por nossa droga favorita. Aprendemos a encarar a dor de que tanto fugimos. O ascetismo cristão parece um pouco com homeopatia — nos expomos a uma minúscula dose de sofrimento para levar a cura para áreas maiores de perda, pecado e doença espiritual em nossas vidas.

As práticas ascéticas revelam a forma como usamos consolos criados, mesmo sendo bons em si, compulsivamente. Negamo-nos um pequeno prazer, alguma necessidade que percebemos, e vemos que escravos nós nos tornamos das coisas que nos confortam.

Não estou sugerindo que períodos de profundo sofrimento são os momentos corretos para se praticar a abnegação. Nesses períodos, simplesmente chegar vivo ao final do dia pode parecer uma experiência ascética. (Se nas profundezas da dor, tudo que você pode fazer para continuar andando é se sentar com Deus e tomar um sorvete, ou fumar um cachimbo, ou ver um filme com batatas fritas oleosas — por amor de Deus, literalmente —, faça isso.)

Porém, a nossa resistência cultural a qualquer tipo de "desnudamento de si" nos deixa despreparados para o sofrimento e para o trauma que a vida inevitavelmente trará sobre todos nós. Mesmo nós cristãos frequentemente nunca aprendemos uma espiritualidade densa o suficiente para nos sustentar quando todos os outros confortos se secam. Desde que nascemos, somos alimentados pela lógica do consumismo — a dor pode ser apagada, ou ao menos anestesiada, por meio da dose suficiente de consumo. Se pudermos comprar o suficiente, tiver sucesso o suficiente, ser famosos o suficiente, bebermos o suficiente, encontrarmos a pessoa certa, tivermos uma casa e uma carreira, então nossos sofrimentos serão aliviados. Nós até podemos usar a espiritualidade da mesma forma, vendendo Deus ou a vida espiritual como o caminho de realização pessoal e triunfo, não como o caminho da cruz. Fomos criados ingerindo esta mentira como uma vitamina diária e isso nos feriu — como pessoas, como cultura e como igreja.

No seu texto "I used to be a human being" [eu costumava ser um ser humano], Andrew Sullivan, um jornalista que é um blogueiro bem conhecido, discute como ele teve de abandonar o que ele chama de seu "vício" por tecnologia e redes sociais. Ele queria aprender a praticar o silêncio. Ele foi para um retiro que exigia o silêncio o dia todo e a noite toda, sem celular, internet, GPS ou até conversas.

Depois de alguns dias nesse retiro, ele foi repentinamente — para sua surpresa — tomado por memórias dolorosas da infância, particularmente um sofrimento que ele passou por conta da doença mental de sua mãe. Ele escreveu: "era como se, tendo removido lenta e gradualmente toda distração da minha vida, eu subitamente encarei aquilo do que eu me distraía. Enquanto repousava no tronco de uma árvore, eu parei e, de repente, me vi em posição fetal, convulsionando com esta nova dor, soluçando." Toda válvula de escape que ele habitualmente utilizava fora retirada. Ele não podia ligar ou enviar uma mensagem para um amigo; ele não podia ver o Twitter ou seu e-mail. Ele precisava ficar sentado com a dor de seus traumas de infância, há muito enterrados. E o que ele descobriu é que ele não só sobreviveu a experiência, como também foi curado por meio dela.

Há uma sabedoria que só pode ser aprendida na abnegação — somente quando todas outras válvulas de escape, aparelhos e anestesias são retiradas. Sullivan escreve: "a tristeza se transformou numa espécie de calma e tranquilidade. Eu senti outras coisas da minha infância — a beleza das florestas, a alegria dos amigos, o apoio da minha irmã, o amor da minha avó materna."[11] Ele tinha passado a vida toda fugindo do sofrimento, mas a única maneira de atravessá-lo era passando no meio dele. A única forma de ser curado era se negar aquilo que lhe dava identidade e uma carreira, aquilo em que ele mais compulsivamente procurava por consolo.

O ascetismo cristão — a prática do silêncio, do jejum, da castidade, do celibato, da solitude ou qualquer outra forma de abnegação — não é para autodestruição ou autocondenação, mas para cura. Ao assumirmos o sofrimento de formas grandes e pequenas, aprendemos a buscar o consolo de um modo que não é particularmente natural para nós, mas que é profundamente necessário. Precisamos treinar nossos corações para buscar um conforto permanente no próprio Deus. Nós praticamos nos livrar de confortos criados — gloriosamente bons, mas inadequados para a tarefa

---

11   SULLIVAN, Andrew. "I used to be a human being". *New York Magazine*. 19 de setembro de 2016. <https://nymag.com/intelligencer/2016/09/andrew-sullivan-my-distraction-sickness-and-yours.html>

—, a fim de aprender a receber o consolo que mais profundamente ansiamos.

✦ ✦ ✦

Pedimos a Deus que "console os que sofrem". Não pedimos que ele alivie o sofrimento com clichês. Não pedimos que o sofredor se aquiete e supere. Olhamos para Deus como um gentil cuidador, um consolador e um médico, não como um treinador rabugento que nos diz para engolir o choro e simplesmente continuar o jogo.

Uma mulher na minha congregação estava passando pela dura missão do luto de seu marido já há dez meses quando eu ouvi rumores de que alguém tinha dito para ela que essa tristeza já tinha durado tempo o suficiente; era hora de respirar fundo e seguir em frente.

Isso não era consolar o que sofre, mas sim apressá-lo.

Quando eu soube disso, brotou em mim uma espécie de impulso maternal de proteger a ovelha sofredora da minha congregação. Eu fiquei irada, e até com um pouco de justiça própria. Mas então eu comecei a lembrar das vezes que eu também fui impaciente com os que sofrem. Eu posso estabelecer dentro de mim prazos subconscientes, para mim ou para os outros, sobre quanto tempo o sofrimento deveria durar. Mas, na maioria das vezes, a cura demora mais tempo do que esperamos. A solução rápida sempre é uma tentação, mas a solução rápida para o sofrimento é desonestidade, vício e a negação de sua humanidade. Mesmo na igreja, frequentemente queremos que as pessoas se virem, se consertem e se salvem — e tudo isso pra ontem.

Porém, ao aprendermos a ansiar por Deus para consolar a nós e a outros, também aprendemos a esperar o lento processo em que ele trabalha.

UMA TAXONOMIA DE VULNERABILIDADES

Será que Deus alguma vez já trouxe curas emocionais, espirituais ou até físicas instantaneamente? Às vezes sim. Ele certamente o pode. Mas o consolo na maioria das vezes chega como em pequenas doses, bancos da graça na longa caminhada. Existe cura na vida cristã. Existe consolo. Eu já o provei e o vi, mas não podemos escolher quando ou como ele irá chegar.

Pierre Teilhard de Chardin nos lembra: "acima de tudo, confie na lenta obra de Deus." Pedimos que o Senhor console os que sofrem e então lembramos do convite de Chardin:

> Dê ao Senhor o benefício da crença
> de que a sua mão lhe guia,
> e aceite a ansiedade de se sentir
> em suspenso e incompleto.[12]

✦ ✦ ✦

Há um velho ditado: "o que não te mata te deixa mais forte". Mas isso parece vazio de significado para mim, e penso eu que para todos que já sofreram também.

A doença que eventualmente matou o meu pai subitamente tinha começado com um lento processo de declínio. Durante uma longa série de internações hospitalares, eu passei dias segurando a mão dele. Então minhas filhas pegaram uma virose e eu passei várias noites segurando o cabelo delas enquanto elas vomitavam. Em meio a essas semanas cansativas, eu escrevi: "eu não sinto que esses dias difíceis, esses estresses, angústias e desafios, me tornam mais forte. No fim das contas [...] eu me sinto profundamente fraca e vulnerável."

---

12   TEILHARD DE CHARDIN, Pierre. *The making of a mind: letters from a soldier-priest, 1914–1919*. Nova York: Harper & Row, 1961, p. 57-58.

Foi Nietzsche que primeiro disse esse clichê agora famoso sobre "o que não nos mata." No seu livro *O crepúsculo dos ídolos*: "da escola de guerra da vida: o que não me mata me deixa mais forte."[13]

Eu encaro coisas todos os dias, grandes ou pequenas, que são difíceis, mas que não me mataram. E eu venho descobrindo que o que não me mata na verdade me deixa mais fraca e talvez seja esta a ideia — o caminho para a glória é descoberto por meio, e somente por meio, da cruz. Na escola de amor da vida, o sofrimento — o que não nos mata — nos torna mais vivos para nossa necessidade e fraqueza e, portanto, mais capazes de dar e receber amor.

É claro que o sofrimento traz resiliência, assim como um osso quebrado se cura e fica mais forte. Podemos ficar, talvez ironicamente, frágeis se não conhecermos o que é dor ou dificuldade. E há uma espécie de fidelidade durona e garra a ser encontrada do outro lado da agonia. Mas esse tipo de resiliência não nos forma para sermos o que Nietzsche via como uma fortaleza impenetrável; isso não nos endurece. Isso nos torna mais abertos para como somos amados em Deus, para nossa vulnerabilidade e para a vulnerabilidade de outras pessoas.

Em seu texto "The tabernacling of god and a theology of weakness" [O tabernáculo de Deus e uma teologia da fraqueza], Marva Dawn diz que:

> Assim como Cristo realizou seu sacrifício por nós pelo sofrimento e a morte, de modo que o Senhor realiza o seu testemunho ao mundo por meio do sofrimento [...] O caminho de Deus não é nos tirar das tribulações, mas

---

13   NIETZSCHE, Friedrich. *O crepúsculo dos ídolos*. São Paulo: Companhia de Bolso, 2017.

nos consolar em meio a elas e "trocar" nossa força em meio a elas. Pela nossa união com Cristo no poder do Espírito em nossas fraquezas, nós manifestamos a glória de Deus.[14]

As pessoas que eu mais respeito são aquelas que sofreram, mas não anestesiaram a sua dor — que enfrentaram as suas trevas. No processo, elas se tornaram esplendidamente fracas, não duras como pedra, nem amargas ou rígidas, mas homens e mulheres que aguentam a vulnerabilidade com alegria e confiança. Eles são quase reluzentes, como um balão chinês feito com um papel fino o suficiente para a luz brilhar de dentro dele.

---

14   DAWN, Marva. *Powers, weakness, and the tabernacling of God.* Grand Rapids, Eerdmans, 2001, p. 47-48.

11

COMPADECE-TE DOS AFLITOS

Resolução e revelação

Se "os que sofrem" passam por estações de profunda dor, "os aflitos" são aqueles que passam por angústias prolongadas, a ponto de às vezes durar a vida toda.[1] São aquelas pessoas cujos corpos nunca vão funcionar bem deste lado da sepultura, que sofrem uma solidão que não passa, que carregam fardos ou traumas particularmente pesados ou que têm menos redes para lhes segurar quando caem.

E, para os aflitos, a noite pode ser especialmente árdua.

Pacientes com demência, por exemplo, padecem de um fenômeno conhecido como *sundowning*. Por razões ainda não explicadas pela medicina, confusão, ansiedade e agressividade pioram na hora que o sol se põe. Quem possui depressão ou ansiedade crônicas também relatam que seus sintomas pioram à noite.[2]

---

1   Não recomendo gastar muito tempo tentando distinguir essas categorias com uma precisão a laser. Isto é oração e poesia, não sociologia. O ponto desta oração é consolo, de todo modo.

2   GRAFF-REDFORD, Jonathan. "Sundowning: late day confusion" *Mayo clinic*. 23 de abril de 2019. <https://www.mayoclinic.org/

UMA TAXONOMIA DE VULNERABILIDADES

Eu costumava trabalhar com adolescentes que moravam na rua. O perigo iminente encarado por essas crianças, especialmente pelas meninas, à noite é praticamente inimaginável. A maioria tinha sido abusada sexualmente diversas vezes, sob a cobertura da escuridão da rua.

Os meus amigos Steven e Bethany cuidam de um retiro de rua.[3] Eles recebem as pessoas para retiros espirituais, todavia, ao invés de ir para um monastério ou para um monte, eles passam tempo com moradores de rua nas calçadas e nos becos de Austin, Texas. O objetivo desses retiros não é simular a pobreza ou dar um gostinho do que é morar na rua para pessoas privilegiadas — obviamente passar uma ou duas noites na rua não é nada parecido com ser morador de rua. O objetivo, nas palavras do Steven, é "buscar Jesus onde ele promete ser encontrado", dentre os pobres e os necessitados — dentre os aflitos. Por algumas noites, os participantes experimentam a vulnerabilidade de dormir na rua da cidade à noite. Mas nessas ruas escuras, dentre os aflitos, as pessoas encontram a Deus. Steven diz que até aqueles que não se consideram cristãos contam experiências em que "eles encontram o sublime".

Steven e Bethany têm muitos amigos nas ruas e os aflitos são hospitaleiros com eles. Eles são bem-vindos em acampamentos de moradores de rua e recebem conselhos de onde que é mais confortável para dormir. Quando eles levaram o seu filho de cinco meses para o retiro junto com eles, alguém mostrou os lugares mais seguros para passar a noite com o bebê. Um amigo que os encontrou na rua orou por eles, pedindo que

---

diseases-conditions/alzheimers-disease/expert-answers/sundowning/faq-20058511>

3 Este é o mesmo Steven, o "profeta fazendeiro" que desempenhou um papel em *Liturgia do ordinário*.

os anjos lhes protegessem, por sua segurança na noite e que eles encontrassem um bom café da manhã no dia seguinte. A Bethany costuma me dizer que "aflição e graça viajam juntas."

✦ ✦ ✦

As dádivas imerecidas de saúde, juventude, educação, estabilidade financeira, família e comunidade me protegem do peso total deste mundo caído. A minha vida, por mais imperfeita que seja, tem um nível de estabilidade e segurança que é inimaginável para a maior parte das pessoas na terra.

Já experimentei o sofrimento, mas eu ainda não conheço as verdadeiras profundezas da aflição humana. Testemunhar pessoas que amo — mesmo que seja um estranho — com vidas cheias de dificuldade ou tormento me arrepia. Como encontramos a bondade de Deus em meio à aflição? A própria existência de vidas tão agonizantes impede a nossa confiança num Deus bondoso? Que esperança existe para comunidades inteiras de pessoas cujo sofrimento continua sem melhora? Para a criança cujas convulsões só pioram até que ela morre? Para as meninas que não conseguem lembrar a vida antes de elas entrarem para o tráfico sexual? Para as pessoas com deficiência mental que viveram décadas hospitalizados ou na rua?

Nesta oração, pedimos para que Deus "se compadeça dos aflitos." A palavra *compaixão* não passa bem. Ela parece terrivelmente inapropriada para o que queremos dizer. Ela às vezes invoca certa defensividade, como em "não preciso da sua compaixão." Mas, segundo a raiz da palavra, sentir compaixão é compartilhar da tristeza de alguém, comiserar com o sofrimento de outra pessoa. Em um mundo inclinado para o tribalismo e o cancelamento, para a dureza de coração, para julgamentos e apatia, todos precisamos do máximo de compaixão possível, tanto de Deus quanto de outros.

UMA TAXONOMIA DE VULNERABILIDADES

E novamente esta oração desafia os meus pressupostos. Não pedimos diretamente que Deus tire a aflição dos aflitos — embora ele possa, por sua compaixão. Isso é o que eu mais quero pedir: "Ó Deus, tira toda aflição."

E a nossa esperança é que Deus vai tirar. Um dia.

Contudo, por enquanto, pedimos que Deus tenha dó. Nesta oração específica, não pedimos por uma solução permanente, mas para que Deus sofra conosco, que é o que compaixão significa literalmente. Pedimos que Deus possa sentir o que sentimos, que ele entre no quarto escuro no qual nos encontramos e se sente ao nosso lado em nossa dor e vulnerabilidade. É ousado pedir que o próprio Deus sofra com o alcóolatra, a criança sem-teto, o paciente de Alzheimer, a mulher bipolar no auge de sua mania — que de alguma forma o Santo sinta precisamente e palpavelmente o que sentimos. Estamos pedindo para que Deus veja esse tipo de dor e entre em suas profundezas, não como um visitante, mas como quem sofre conosco.

✦ ✦ ✦

Os cristãos acreditam que o próprio Deus anda com os aflitos e somos chamados a fazer o mesmo.

Essa pode ser uma vocação complicada. Logo no começo de meu pastorado ficou claro para mim que a minha igreja fazia muitas vezes um excelente trabalho de acompanhar as pessoas em suas crises. Se alguém estava no hospital, se alguém tinha feito uma cirurgia, perdido um emprego ou perdido um parente, nós aparecíamos com caldos, orações, lágrimas e ajuda. Era bonito de se ver. O que era mais difícil para nós, contudo, era acompanhar quem tinha necessidades a longo prazo.

Você precisa de cinco refeições depois de uma artroplastia? Pode deixar. Você precisa de três refeições por semana pelos

186

próximos dez anos? Não sei nem por onde começar. Você precisa de uma visita pastoral semanal ou quinzenalmente pelo resto da sua vida? Provavelmente não temos pessoal para isso. Temos assistentes sociais na nossa congregação para quem ligamos quando encontramos necessidades mais prolongadas e permanentes, mas a maior parte das igrejas não tem o apoio de uma agência de serviço social. Afinal, nós dependemos de voluntários, pela maior parte do tempo, e normalmente há um bocado de gente em crises paralelas o tempo todo.

Porém isso também sugere uma luta mais profunda na igreja mais ampla, ao menos aqui nos Estados Unidos, o que torna mais difícil para nós sofrer com os aflitos. Muitas vezes nós não sabemos como acompanhar as pessoas quando a estrada é longa e provavelmente não haverá final feliz.

Durante a minha crise em 2017, eu estava conversando com um amigo que é líder de um ministério nacional. Ele observou e estudou a igreja americana por anos e comentou quase ironicamente: "Todos nós acreditamos em certa forma da teologia da prosperidade, não é? Esperamos que Deus faça tudo dar certo para nós. E se fizermos a nossa parte, ele precisa fazer com que tudo dê certo."[4] É claro, a maior parte dos cristãos ao redor do mundo e nos Estados Unidos concederia que a teologia da prosperidade — a ideia de que Deus recompensa os justos com saúde e prosperidade — não é verdade. Isso não é teologia cristã. É uma versão moderna da "teologia da glória" que Lutero tanto condenou. Porém, em algum lugar silencioso de nossos corações, sentimos o favor de

---

4   Uma bela exploração dessa ideia é o livro de BOWLER, Kate. *Everything happens for a reason*. Nova York: Random House, 2018. Um dos temas que ela explora é a forma que a teologia da prosperidade sutilmente afeta como vemos a Deus, quer professemos explicitamente ou não.

UMA TAXONOMIA DE VULNERABILIDADES

Deus quando as coisas dão certo para nós e sua desaprovação — senão a sua ausência — em nossas frustrações. Isso gera uma espécie de fé cristã que almeja resolução, performance e resultados, e muitas vezes temos dificuldade para saber como passar, e ajudar outros a passarem, por situações em que o sofrimento não está perto de acabar, em que os fardos carregados não parecem ser suspensos. Queremos que o sofrimento tenha um começo, meio e fim claros, de um jeito que possamos entender, uma história com uma resolução coerente. Nós resistimos uma visão do cristianismo sem resultados imediatos, sem vantagens evidentes.

As vidas dos aflitos nos lembram, desconfortavelmente, de que o sofrimento não é simplesmente um problema para ser resolvido.

Eu tenho um amigo cujo filho tem autismo severo. Meu amigo frequentemente se pergunta como orar por seu filho. Mesmo com todas as dificuldades da criação de filhos pelas quais passamos — de ensinar a usar o banheiro, a resolver conflitos, de doenças a machucados — nós imaginamos que um dia nossos filhos serão independentes e precisarão menos de nós. Mas o filho do meu amigo dependerá de seus pais enquanto viver. Eles provavelmente nunca lhe ouvirão contar do seu dia ou lhe ensinarão a amarrar os sapatos. O meu amigo ama o filho dele, profunda e desesperadamente e, por causa desse amor, ele sofre profundamente e não há um fim em vista para este sofrimento. Ele carrega o peso da aflição do seu filho.

É claro que esse não é o fim da história. O meu amigo se alegra de várias formas com o seu filho. Ele conta histórias sobre seu filho com um orgulho radiante regado a risadas. O seu filho serve a igreja local deles e abençoa as pessoas ao redor. Mas o luto sempre está presente, inchando com cada conquista que seu filho provavelmente nunca terá, com todo

188

rito de passagem normal que ele nunca conhecerá. Qual é a esperança para o meu amigo e o filho dele? Como orar por ele? Como é a "vida abundante" em Jesus para quem tem uma vida que nunca vai se encaixar no sonho americano?

✦ ✦ ✦

O que ainda mais complica o complexo tema da aflição e sua relação com a bondade de Deus é que não só servimos a um Deus que não remove todas as aflições, como também ele às vezes parece nos enfiar nelas de cabeça. Frequentemente são nossas convicções, vindas do rigor ético da fé cristã, que nos tiram do caminho do prazer e da felicidade. Eu tenho amigas que continuaram suas gravidezes, tendo filhos com deficiência mesmo quando seus médicos recomendaram abortar. Eu tenho amigos que doam a maior parte de sua renda, assumindo fardos no orçamento que facilmente seriam evitados por menor generosidade. Eu tenho amigos que continuam em casamentos infelizes, buscando conselheiros ano após ano, e, ainda assim, resistem ao divórcio. E eu tenho amigos que continuam solteiros e celibatários por causa de suas convicções.

Cristãos perseguidos por todo o mundo encaram uma escolha entre apostasia e morte e milhares de milhares escolhem a morte. Há estudantes internacionais na minha igreja cuja conversão ao cristianismo significa cortar os laços com seu lar e com sua família. Com o seu batismo, eles trocam uma estrada bem pavimentada para felicidade e riqueza no seu país de origem por uma vida de fugir da perseguição.

Como cristãos ocidentais, pode parecer difícil acreditar que Deus nos chamaria a abraçar qualquer tipo de dor sem resolução próxima. Nós recusamos um Deus que permitiria aflições, ou que tenha padrões ético que convidariam a aflição. Em *Deus no banco dos réus*, C.S. Lewis celebremente declarou:

"como você talvez saiba, eu nem sempre fui cristão. E não procurei a religião para ser feliz. Eu sempre soube que uma garrafa de vinho do Porto bastava para isso. Caso você queira uma religião para se sentir muito confortável, eu certamente não recomendo o cristianismo." Ao invés disso, ele recomenda a adoração própria, que ele diz dar mais felicidade no curto prazo ou, nas palavras dele, "um artigo norte-americano no mercado" já faria um belo trabalho — uma espiritualidade que prometesse que tudo que queremos provavelmente seria tudo que Deus quer também.[5]

A verdade da fé cristã leva à realização humana. Mas sempre é uma realização que, para citar Tomás de Aquino, é um "bem árduo".[6] Ron Belgau, um celibatário comprometido, escreve: "um bem árduo é um bem que demanda esforço. Um bem pelo qual vale a pena lutar. E um bem que inspira esperança, medo e perseverança mesmo na adversidade. 'Bem árduo' também é um termo difícil de se encontrar em Hollywood e que quase nunca se ouve na Madison Avenue." E, diria eu, raro de se ouvir na igreja também. Todavia, como Belgau escreve, a própria salvação é "um bem árduo, um tesouro escondido no campo, uma pérola de alto valor, pela qual alegremente sacrificaríamos tudo."[7]

Que a fé cristã motiva o sofrimento não é uma dimensão oculta da fé, um segredo bem guardado enquanto prometemos uma vida cada vez mais excitante e gloriosa. Não é tiro e queda. Jesus nos chama para uma cruz — para morrer, para

---

5 LEWIS, C.S. *Deus no banco dos réus*. Trad. Giuliana Niedhart. Rio de Janeiro: Thomas Nelson, 2018, p. 75.

6 TOMÁS DE AQUINO. *Suma teológica*. II.II, q. 17, r. 3.

7 BELGAU, Ron. "Arduous goods" *First things*. 22 de agosto de 2013. <https://www.firstthings.com/blogs/firstthoughts/2013/08/arduous-goods>

perder nossa vida a fim de ganhá-la. Ele não era muito bom no seu marketing. Ele não veio vender nada. Por outro lado, ele tomou do seu próprio veneno. Ele foi honesto com o custo do discipulado e da dor sem solução pronta. Ele abraçou tudo isso em compaixão, e com o seu próprio corpo.

✦ ✦ ✦

Eu não sei por que Deus permite aflições, mas eu sei disto: ele se encontra dentre os aflitos.

Por causa do meu trabalho, eu ouço muitas pessoas cujas vidas em Cristo são marcadas por aflições — a aflição delas ou de quem elas amam. Eu encontrei um homem que passava a maior parte do seu dia cuidando da sua mãe que tinha demência avançada. Ele me disse que nunca tinha pensado que cuidar de sua mãe podia ser uma disciplina espiritual formativa na sua vida. Essa descoberta mudara a sua vida.

Eu fiquei impressionada. Como ele não tinha percebido que algo tão profundamente humilde, um verdadeiro esvaziamento de si, tão perto da gloriosa compaixão de Deus, não era uma prática espiritual? Ele me respondeu: "porque eu nunca teria escolhido isso."

Pensamos que disciplinas espirituais são hábitos que iniciamos, como ler a Bíblia, orar e ir à igreja. Essas são as partes explicitamente espirituais de nossos dias. O resto da nossa vida é simplesmente aquilo pelo que passamos, as coisas inertes compostas por tempo, acaso e biografia. Porém, muitas vezes, as práticas espirituais mais fundamentais e formativas de nossas vidas são as coisas que nunca escolheríamos. As formas mais profundas de encontrar a Deus são frequentemente aflições.

No seu livro *Strong and weak* [Fraco e forte], Andy Crouch escreve sobre sua sobrinha Angela, que nasceu com uma deficiência genética, a trissomia do 13. Contra todas as expectativas, ela sobreviveu até seus onze anos, mas não podia ver, ouvir ou andar. Crouch afirma: "ela não podia comer ou banhar sozinha; ela não dominava nada da linguagem. Nós apenas supúnhamos que ela sabia quem era sua mãe, pai, avós, irmãos e irmãs." Isso que é realização? Crouch admite que Angela não pôde ser realizada por "qualquer definição formulada por uma cultura consumista, rica e de massa." Contudo, diz ele, por causa da vida de Angela, mesmo na aflição, quem estava ao seu redor conhecia uma realização mais profunda. Ele descreve: "o real teste de toda comunidade humana é como ela cuida dos mais vulneráveis, quem é como a Angela, que não pode nem mesmo fingir independência e autonomia."[8] Por causa da grande vulnerabilidade de Angela, os seus médicos, sua família e seus amigos podem fazer o bem para ela e isso cria uma comunidade realizada para quem está perto dela, de um modo que não poderiam conhecer de outro modo.

Madre Teresa disse que os aflitos são Cristo no seu "disfarce mais perturbador".[9] Ele demonstra compaixão pelos aflitos e, mediante eles, por nós. Ele expõe as promessas vazias de uma cultura consumista, e até de uma fé consumista — de que prazer, prosperidade, saúde e realização mundana sejam verdadeira abundância. Os aflitos desmascaram a mentira de que o que torna a vida digna de ser vivida (e Deus digno de ser conhecido) sejam os prazeres que eu possa arrancar dos meus dias.

A vida é cheia de aflição e o caminho de Jesus é árduo. Ele nunca prometeu o oposto. O que ele promete é a vida abundante, e leva uma vida inteira para aprender a praticar

---

8   CROUCH, Andy. *Strong and weak*. Downers Grove: InterVarsity Press, 2016, p. 31.
9   MADRE TERESA. *No greater love*. Novato: New World Library, 1989, p. 166.

este ofício da fé cristã para ter ideia do que isso envolve. Porém, os aflitos nos ensinam que não é o que eu penso ser; não é um casamento perfeito ou uma vida de sucesso sem fim. É sempre cruz e ressurreição.

✦ ✦ ✦

Se a simples existência dos aflitos parece ser uma prova da distância de Deus, os próprios aflitos muitas vezes nos contam de sua proximidade. Eu regularmente me surpreendo com o fato de que aqueles que passam por aflições frequentemente confiam em Deus de um modo que achamos ser difícil.

Em seu livro *A ausência de Deus?*, o filósofo Joseph Minich discute como o ceticismo cresce num ambiente de riqueza, conforto e privilégios. A rejeição da crença em Deus, na maioria das vezes, diz ele que é um "fenômeno predominantemente branco, para os que estão 'bem de vida'".[10]

O comediante Neal Brennan brinca assim: "é engraçado, eu conheço muitos ateus brancos, mas eu não conheço muitos negros e eu tenho uma teoria: porque o ateísmo é o auge do privilégio branco [...] Pensa só: a religião basicamente diz: 'e aí, tem interesse na vida após a morte?' E as pessoas brancas vem e dizem: 'não, obrigado.' Tipo, 'pra quê? Não tem como a vida ser melhor."[11]

Dentre os pobres, tanto nos Estados Unidos quanto em nações em desenvolvimento, a fé cresce — e não a espiritualidade

---

10   MINICH, Joseph. *A ausência de Deus?* O desafio do ateísmo moderno. Ledor: Rafael Augusto São Paulo: Pilgrim, 2020. Audiolivro (aplicativo de dispositivos móveis).

11   Citado em ROSE, Lacey. "'He just knows what's funny': Hollywood's secret comic whisperer finally gets his own spotlight". *The Hollywood Reporter*. 15 de abril de 2019. <https://www.hollywoodreporter.com/features/chappelles-show-creator-neal-brennan-finally-gets-own-spotlight-1199871>

glamourosa e permissiva que é tendência entre ocidentais urbanos, mas a fé da variedade mais ortodoxa e tradicional. No começo do século 20, oitenta por cento de todos os cristãos estavam na Europa e na América do Norte, com apenas vinte por cento no mundo não ocidental. Agora é quase o contrário — dois terços dos cristãos do mundo vivem no Sul global. Isso não se deve tanto ao declínio da fé no Ocidente quanto ao crescimento explosivo da igreja no resto do mundo.[12]

Eu percebo isso na própria comunhão anglicana, onde a fé cristã se desvanece em nações ocidentais ricas e floresce no Sul global. É claro, nem todos os anglicanos na África, na América Latina e na Ásia são pobres ou aflitos, mas muitos passam por dificuldade, pobreza e perseguição religiosa que mal podemos imaginar. E ainda assim eles confiam em Deus de uma forma que me deixa boquiaberta.

Vejamos, por exemplo, o arcebispo Benjamin Kwashi. Em 2008 ele se tornou o arcebispo anglicano de Jos, uma região fronteiriça conflituosa entre a Nigéria islâmica e a Nigéria predominantemente cristã no sul do país. Ao longo do seu ministério, ele viu centenas de igrejas serem bombardeadas. A sua própria casa foi bombardeada. A sua esposa foi espancada e estuprada por terroristas e ele foi quase assassinado em diversas ocasiões. Em meio a essa perseguição, o arcebispo Kwashi foi capaz de dizer: "se Deus poupar a minha vida, não importa quão curta ou longa ela seja, eu tenho algo pelo qual vale a pena viver e morrer. Então vou fazer isso rápido e com urgência. Esse tipo de fé é o que eu vou passar para as gerações vindouras. Esse mundo não é o nosso lar, somos

---

12   SUNQUIST, Scott. *The unexpected Christian century: the reversal and transformation of Global Christianity, 1900-2000*. Grand Rapids: Baker Academic, 2015.

forasteiros aqui, temos um trabalho a fazer, então, vamos arregaçar as mangas."[13]

Embora as estatísticas mostrem que aqui no Ocidente especialmente os jovens caem na incredulidade, em parte, por causa do problema do mal, parece que a nossa prosperidade gera bem mais dúvida do que muitos aflitos veem em suas aflições.

Uma explicação comum disso é que os aflitos precisam de uma válvula de escape de conforto cósmico, enquanto os saudáveis e ricos, com sua medicina avançada, água aquecida e cerveja artesanal, não precisam de tal consolo.

Porém eu diria que todos nós — cada homem, mulher e criança — possuímos uma válvula de escape. Todo mundo precisa de ajuda. Todos precisamos que algo carregue o nosso peso. Em nosso estado mais verdadeiro e mais nu, somos todos profundamente vulneráveis.

Os aflitos revelam para nós o nosso verdadeiro estado. Nós encontramos Jesus em seu "disfarce perturbador" e, nele, vemos a verdadeira humanidade. Tudo de que dependemos para fazer nossas vidas funcionar, da rede elétrica até as nossas próprias mentes, pode ser perdido. Toda nossa suposta força e autonomia são raquíticas. Se os mais vulneráveis dentre nós precisam de Deus como válvula de escape para fugir do ardor de suas vidas, talvez eles são apenas mais honestos sobre aquilo de que mais precisamos. A humilhação pode gerar humildade, a qual nos permite ver a Deus mais claramente porque nos tornamos mais honestos sobre quem verdadeiramente somos. Talvez a fome espiritual — que suprimimos, mas nunca podemos satisfazer por dinheiro, privilégio e saúde — não vem da ingenuidade, mas da realidade.

---

13   BOYD, Andrew. *Neither bomb nor bullet: Benjamin Kwashi: archbishop on the front line.* Oxford: Lion Hudson, 2019, p. 9.

Estamos todos precisando constantemente de sustento. Estamos todos precisando da compaixão de Deus.

✦ ✦ ✦

Alguns anos atrás, me deparei com uma situação terrivelmente injusta no exterior. Crianças eram utilizadas como isca para arrecadar dinheiro de pais adotivos americanos, mas os donos do orfanato não se esforçavam para realizar os procedimentos legais para permitir que essas crianças encontrassem um lar permanente. Então essas crianças ficavam presas. Elas eram reféns, utilizadas para o lucro e perpetuamente separadas de famílias que as queriam desesperadamente. Era ilegal, mas se pagava um suborno aos policiais. Nada podia ser feito por essas crianças, as mais pobres das pobres, órfãs numa região remota da África Oriental.

Eu tinha acabado de ser mãe quando descobri sobre essa situação e não podia olhar para meus filhos sem ver os rostos dessas crianças. Eu estava cheia de fúria maternal. Não havia nada que eu pudesse fazer para resgatar essas crianças e parecia que não haveria justiça. A situação era impossível de resolver. O único consolo que eu tinha era que Deus sabia que estava acontecendo e ele seria o juiz de toda injustiça.

É raro eu me encantar com a imagem de Jesus como juiz. Eu tendo para uma versão *hippie* de Jesus, com uma flor na orelha. Eu me sinto atraída por sua graça, sua gentileza e sua beleza. Mas quando eu encontro alguém sendo afligido por uma injustiça entrincheirada, eu anseio por um Deus que veja e que trabalhe em prol daqueles que foram abandonados pelo mundo.

Em última instância, a nossa esperança não é apenas que Cristo seja encontrado dentre os aflitos, mas que a própria aflição acabe. Nós esperamos — e oramos — que a compaixão de Deus seja ativa, que Deus aja decisivamente para restaurar os aflitos e julgar, derrotar e destruir toda causa de aflição.

Quando encontramos a aflição, ansiamos pelo dia em que tudo que está quebrado — em nossos corpos, na natureza, nos relacionamentos, na sociedade, na política, no policiamento e na economia global — seja corrigido e endireitado. Ansiamos por um "fim" da aflição em ambos os sentidos da palavra — para que haja um *telos*, um plano, para todo esse sofrimento humano aparentemente desnecessário e aleatório, mas também para que a aflição seja superada e abolida. Esta é a nossa esperança: que o céu rache a terra, que tudo que agora está oculto seja revelado perante o juízo e misericórdia de Jesus, que ele julgue todos que tiram vantagem dos fracos e toda força sombria que traz desespero e dor para o mundo. Essa é a visão de futuro que fundamenta nossa sede de justiça aqui e agora.

A forma de nossas orações determina a forma da nossa vida. Orar a cada noite por quem sofre sem parar formará nossa missão no mundo.

Não podemos pedir para que Deus tenha compaixão dos aflitos — para que sofra com eles e redima sua aflição — sem também se juntar a Deus nessa obra de compaixão. Nós trabalhamos para cuidar dos aflitos, para afirmar a dignidade de todo ser humano como imagem de Deus. Nós defendemos sistemas e leis que apoiem a justiça e a prosperidade para os mais fracos e indefesos. Nós pedimos para que Deus tenha compaixão dos aflitos e, consequentemente, usamos nosso dinheiro, saúde, tempo, educação e privilégios para abençoá-los também, quer encontremo-nos a um continente de distância ou em nossa sala de estar.

Como igreja, buscamos ser um povo de compaixão ativa pelos aflitos, sabendo que Deus se identifica com eles em sua aflição. Nós não vamos arrumar todas as coisas — nem de perto. Nem acabaremos com o sofrimento. Não traremos o céu à terra. Mas podemos e devemos lutar contra as trevas, até mesmo enquanto esperamos o dia raiar.

12

DEFENDE OS ALEGRES

Gratidão e indiferença

Alguns meses depois de começar a escrever este livro, Jonathan e eu soubemos, para nossa surpresa, que eu estava grávida. Nós tínhamos apenas duas filhas e tínhamos perdidos dois filhos antes de nascerem. Dois anos depois, aqui estávamos nós de novo. Grávida. Aos quarenta. Eu estava animada e aterrorizada, e aterrorizada de estar animada.

Neste mundo caído, a alegria é arriscada.

É preciso coragem para ter alegria. A vulnerabilidade se mostra claramente no sofrimento e no luto, mas também a provamos ao simplesmente sabermos que vivemos num mundo caído onde nunca sabemos o que virá na próxima esquina.

Então eu me engano com a ideia de que, se eu não levar a alegria ou a celebração muito a sério, então, talvez, só talvez, não doa tanto quando a angústia mostrar a sua cara. Eu seguro as minhas apostas, espero para ver no que vai dar e me resguardo da dor ao evitar me deslumbrar com a beleza na minha frente. Eu me defendo da decepção ao não abraçar a alegria.

Nesta oração, reconhecemos a vulnerabilidade da alegria. Pedimos para que Deus defenda os alegres, para que projeta aquela parte de nós que é corajosa o suficiente para acreditar que coisas boas acontecem.

Porque coisas boas realmente acontecem. É impressionante que seja parte de andar com um Deus que não impede coisas ruins que ele obviamente faça coisas boas acontecerem também — e muitas vezes. Deus é assustadoramente imprevisível e livre.

Cada dia de nossas vidas guarda incansável beleza, misericórdia e graça sobre graça. Bebês saudáveis nascem todos os dias. Casamentos se recuperam das profundezas do desprezo. Muitos — mas não todos — de nós acordam todos os dias com corpos funcionando. Podemos realizar um trabalho bem-feito, preparar um chá, fazer uma caminhada, respirar ar puro e pisar em folhas secas com nossos pés. Rimos. Dançamos. Saramos. O câncer tem remissão. As pessoas se recuperam de doenças. Mangueiras dão fruto. Recifes de corais mortos se regeneram lentamente. Essas coisas acontecem, e acontecem pela graça. São presentes de Deus que somos chamados a receber de mãos abertas.

Precisamos aprender a confiar em Deus a fim de receber dele até mesmo as coisas boas. E aprender a receber coisas boas de Deus é difícil, especialmente se você foi magoado. É difícil aprender a confiar na bondade e na beleza. É preciso prática para encarar a realidade das trevas, mas também para pedir — e esperar — por luz.

Arriscar a alegria exige esperança. E a esperança é o oposto da ansiedade. Eu tenho o hábito de ficar ansiosa. Eu catastrofizo. Eu espero o pior. Esse hábito me leva a, como diz o ditado, "sofrer por antecipação". Coisas terríveis podem acontecer então eu começo a lamentar antes da hora — nunca é cedo demais para começar a se sentir mal.

Ter esperança é "graça por antecipação". Não é um otimismo ingênuo. A esperança admite a verdade de nossa vulnerabilidade. Ela não confia que Deus vá impedir que todas as coisas ruins aconteçam. Mas presume que redenção, beleza e bondade estarão lá por nós, não importa o que aconteça.

Quando descobrimos que estávamos grávidos de novo, nós tivemos uma conversa com nossas filhas para lhes contar. A nossa filha mais nova respondeu pulando animada, rodopiando de alegria, e beijando a minha barriga inchada. A nossa filha mais velha começou a chorar copiosamente e colocou a cabeça no colo do pai dela, lamentando: "esse bebê vai morrer de novo!" Ela ainda lembrava o sentimento de perdermos nosso fôlego juntos quando nosso coração partiu. Ela lembrou o funeral que fizemos para o seu irmão morto. Essa notícia, por mais alegre que fosse, fez uma antiga dor, um trauma, brotar. O amor envolve risco e amar de novo significa arriscar de novo.[1]

Nas suas respostas paralelas à notícia, as minhas filhas exibiram a guerra que ocorria na minha alma. Eu tinha esperança e estava animada. Eu queria abraçar a alegria dessa boa nova. Mas a gravidez me abria a possibilidade de um coração partido. Não podíamos prometer a nossas filhas que

---

1   C.S. Lewis escreveu: "O simples fato de se amar é uma vulnerabilidade. Ame alguma coisa e seu coração certamente ficará apertado e possivelmente partido. Se quiser ter certeza de que seu coração ficará intacto, não deve oferecê-lo a ninguém, nem mesmo a um animal. Use passatempos e pequenos luxos para envolvê-lo cuidadosamente, evite todas complicações; tranque-o de forma segura no caixão ou ataúde de seu egoísmo. No caixão — seguro, escuro, inerte, sem ar — ele mudará. Não será mais quebrado; se tornará inquebrável, impenetrável e irredimível. A alternativa para tragédia, ou pelo menos para o risco de tragédia, é a condenação. O único lugar fora do céu onde você pode ficar perfeitamente seguro de todos os problemas e perturbações do amor é o inferno." LEWIS, C.S. *Os quatro amores*. Rio de Janeiro: Thomas Nelson Brasil, 2017, p. 163-164.

este bebê não iria morrer. Não tínhamos ideia se a nossa celebração viraria lamento ou se o nosso lamento viraria celebração. Tínhamos de esperar pelo desconhecido e permitir a esperança lentamente se desdobrar sem qualquer garantia sobre como esta história iria terminar.

Naquela noite, a nossa filha mais velha, uma artista em formação, passou horas desenhando seis figuras com o mesmo tema: o seu novo irmão. Ela desenhou a nossa família com um bebê, ela sendo adolescente com um irmão menor, o seu irmão aprendendo a andar. Era assim que ela aumentava sua esperança. Ela orava com seu lápis e seu giz de cera. Ela tomou o árduo passo de se permitir sentir aquela alegre expectativa de novo e, ao fazê-lo, ela se abriu à possibilidade da dor. Ela estava arriscando a vulnerabilidade da alegria, confiando em Deus que não seria um risco prejudicial — não porque ela podia contar com qualquer resultado, mas porque ela contava com Deus como defensor.

Eu preciso aprender de novo e de novo a arriscar a alegria, a intencionalmente praticar a esperança. Uma amiga me deu uns sapatinhos que ela tinha feito para o nosso filho. Eram sapatinhos pequenininhos e adoráveis, com suas solas de couro e tons de verde e marrom. Eu decidi deixá-los no manto da nossa lareira, onde ficaram por meses, esperando o nosso filho. Era um exercício de alegria, deixando-os sentadinhos num lugar privilegiado como um símbolo de esperança. Mas também era como colocá-los num altar, esperando receber o que quer que Deus trouxesse.

✦ ✦ ✦

Um rio lento e frito corta a terra atrás da casa dos meus falecidos avós (onde minha mãe mora atualmente). É o meu lugar favorito. Fica no centro do Texas e mesmo em dias em que a seca assola a terra e mata plantações esse rio continua a fluir.

A sua fonte é um profundo aquífero subterrâneo, onde cerca de duzentas fontes surgem de fissuras nas rochas bem abaixo da superfície. Essas fontes estiveram lá desde a aurora dos tempos e eu suspeito que esse rio continuará enquanto a terra existir.

Esta é a minha imagem de alegria — esse lugar bonito, essa presença firme. Eu molho a minha mão nas ondas da água, mas o que eu posso tocar é apenas a superfície de uma profunda corrente infalível.

Os cristãos possuem o que os teólogos chamam de visão sacramental da realidade.[2] Cremos que as coisas da terra carregam consigo a presença sagrada de Deus. Quando experimentamos êxtase, deslumbramento ou glória, batemos de cara numa realidade sólida: a verdade, a beleza e a bondade do próprio Deus. Temos prazer nessas coisas porque elas participam em Deus.

Depois de meditar sobre fragilidade e perda, esta oração relembra a encantadora amabilidade e leveza que permanecem no mundo, mesmo com o coração partido.

Assim como esta oração nos lembra a cada noite que há pessoas morrendo ou adoecendo ou sofrendo ou aflitas, ela também recorda aqueles cuja noite brilha de beleza, esperança e alegria. Em algum lugar, um jovem casal passa sua primeira noite juntos como marido e mulher. Viajantes veem auroras boreais. Copos de champanhe são brindados por outros. Famílias se esquentam alegres nos seus pijamas assistindo àquele filme favorito. Amigos se reúnem para comer, trocam histórias, se inebriam na conversa, e não querem que a noite acabe.

---

2   A literatura aqui é vasta, mas uma boa introdução a esta ideia pode ser encontrada em BOERSMA, Hans. *Participação celestial.* São Paulo: Pilgrim, no prelo; e TYSON, Paul. *Returning to reality.* Eugene: Cascade, 2014.

Esses momentos são sacramentais. Eles participam de uma realidade que é sagrada e robusta.

Contudo, sabemos que esses belos presentes podem ser perdidos — e um dia, quando morrermos, tudo estará perdido por um tempo.

Porém, cremos que a alegria permanecerá. A alegria então precisa ser mais do que mera felicidade.

Os apóstolos parecem um pouco malucos quando falam sobre alegria. Tiago vai tão longe a ponto de dizer que, quando passamos por provações, deveríamos considerá-las "motivo de grande alegria" (Tiago 1.2). A única forma de entender isso é se a alegria tiver um fundamento firme como a rocha. Na angústia mais profunda, onde não se vê felicidade em lugar algum, a verdade, a bondade e a beleza que encontramos em nossos momentos mais felizes não deixam de ser reais ou confiáveis. Quando belos dons se perdem, o Doador permanece — e o Doador é a fonte suprema de alegria, para começo de conversa, a realidade apontada pela realidade sacramental.

Por isso os cristãos abraçam a ideia de que os bens e os dons terrenos trazem alegria sem receio, mesmo que ainda proclamem uma alegria duradoura que permanece mesmo quando todos os prazeres se desvanecem. Praticar a alegria então é buscar a fonte de tudo que é amável e resplandecente.

Um menino de nove anos da minha igreja explicou para a sua mãe o que essa oração de "defender os alegres" significava. Ele disse que pedimos que Deus "proteja quem está dando uma festa para que eles fiquem em paz, e que um cara mau não atrapalhe eles." Eu acho que essa interpretação é brilhante. Essa oração é nada menos que um pedido para Deus preservar a celebração — para que quem está dando uma festa fique em paz.

Devemos festejar. Mas para praticar a celebração precisamos da proteção de Deus do desespero, da desolação, do mal

e, sim, de tempos em tempos, de "caras maus". A própria celebração é eterna e, no aqui e agora, ela é vital, e também frágil.

Mas podemos abraçar a alegria num mundo sombrio,
não como um ato açucarado de negação ou ilusão, mas porque
sabemos que o prazer vem de uma fonte imutável. A verdadeira alegria não vem do privilégio ou da prosperidade, mas
das fontes mais profundas da graça.

✦ ✦ ✦

A alegria é tanto uma dádiva quanto uma prática, mas não é
primariamente um sentimento, não mais que domínio próprio ou
fidelidade o são. É um músculo que fortalecemos com exercícios.

Henri Nouwen descreveu a alegria como "a experiência
de saber que você é incondicionalmente amado e que nada —
doença, fracasso, aflição emocional, opressão, guerra ou mesmo
a morte — pode tirar esse amor." Ele explica que a alegria não
acontece conosco por acaso. Nós escolhemos (ou não) a alegria
todos os dias. Segundo ele, "é uma escolha baseada no conhecimento de que pertencemos a Deus e encontramos em Deus
nosso refúgio e segurança e que nada [...] pode tirar Deus de nós."

Porque a alegria vem "do conhecimento do amor de Deus
por nós", ela permanece mesmo com o desapontamento ou o
luto. Nouwen afirma: "tendemos a pensar que, quando estamos
tristes, não podemos ser felizes, mas na vida de uma pessoa
teocêntrica, a angústia e a alegria existem juntas."[3]

Praticar a alegria não é cultivar o otimismo, estar sempre
animado ou minimizar a dor. Como um nadador pratica um
nado específico ou um iogista faz a posição do cachorro, nós
intencional e habitualmente nos abrimos para o amor incon-
dicional de Deus. Nós praticamos viver na realidade de que

---

3   NOUWEN, Henri. *Here and now: living in the Spirit.* Nova York:
     Crossroad, 1994, p. 30-31.

o amor é mais profundo e mais substancial do que qualquer necessidade que podemos apresentar a Deus.

A banda Modest Mouse tem um álbum maravilhoso com um título igualmente fantástico: *Good news for people who love bad news* [boas notícias para quem ama más notícias]. Alguns cristãos varrem dúvida e desânimo para debaixo do tapete, pintando a espiritualidade como um alto astral constante sem tempo para lamento ou tristeza. Mas também há alguns cristãos que amam más notícias. Podemos torcer pelas trevas e, por mais involuntário que seja, ignorar a luz em nome de uma sinceridade sombria. Nós alimentamos cada dúvida, contamos cada remorso e nos resguardamos contra a dor ao descartar a esperança. Precisamos aprender, pela prática, a ser pessoas que abraçam boas notícias (até para quem ama más notícias).

A alegria em meio às trevas nunca deveria ser fingida ou simulada, mas ela pode ser escolhida. E é uma escolha vulnerável e corajosa.

Escolher a alegria é ver toda a existência como uma dádiva, sendo esta a razão de a prática da alegria ser inseparável da prática da gratidão. A gratidão gera a alegria porque a gratidão nos ensina a receber a vida como um dom no momento em que estamos, independentemente do que está por vir. "A vida verdadeiramente convertida é aquela em que Deus se tornou o centro de tudo", como diz Nouwen. "Nela, a gratidão é alegria e a alegria é gratidão e tudo se torna um sinal surpreendente da presença de Deus."[4]

✦ ✦ ✦

Durante a incerteza da minha nova gravidez, uma diretora espiritual da minha igreja me recomendou fazer uma "oração

---

4   Ibid., p. 26.

de indiferença". Praticar esse tipo de oração é um ato de abrir mão de nosso controle, planos e até desejos, abandonando a nós mesmos à indomável vontade de Deus, onde quer que ela leve.

Milênios atrás, outra mãe fez uma oração de indiferença. Quando Maria encontrou um anjo que lhe disse que dela nasceria um filho, ela não saltou de alegria imediatamente. Ela ficou "muito perturbada". Jovem e provavelmente assustada, Maria foi arremessada num abismo de mistério. Ela não era boba. Ela sabia que a alegria custa caro. Ela sabia que a alegria precisa ser defendida. Ela estava perturbada e, embora a sua perturbação provavelmente fosse mais intensa que a nossa (poucos aqui viram um anjo), qualquer um que já esperou, suspenso entre a alegria e a dor, conhece um pouco da mistura de fascínio e terror, de esperança e medo, que Maria conheceu aquele dia. Mas na sua resposta ao anjo vemos a sua busca por uma postura de alegria: "Aqui está a serva do Senhor; cumpra-se em mim a tua palavra" (Lucas 1.38). Neste momento, vemos um padrão de oração. Maria confia em Deus. Ela diz, com um entusiasmo ou com um suspiro: "tudo bem, eu sou sua serva. Faça como quiser."

Esta é a oração que aquela diretora espiritual me incentivou a fazer.

E eu disse não. Eu protestei. Eu lhe disse que, depois de tantos anos difíceis e dois abortos espontâneos, não era difícil eu acreditar que esta gravidez também acabaria em tragédia; o que precisava de esforço era me permitir a esperar, eu me deixar desejar algo honestamente diante de Deus. Eu não queria ser indiferente! Eu queria me abrir ao risco de ansiar, de celebrar, mesmo que significasse mais frustração no final das contas. Não somos budistas, critiquei; não precisamos negar a bondade dos desejos. A fé cristã não considera o desejo em si como ruim ou como a raiz do sofrimento. O chamado à indiferença me parecia ser um convite à neutralidade, a negar o que eu queria em troca de uma piedade pastelão. Foi o que argumentei.

Ela respondeu com paciência. Na sua visão, a oração da indiferença não nega nossos desejos. Não pede que sejamos desonestos diante de Deus. Pelo contrário, nesta forma de oração nos permitimos admitir nossos desejos a Deus e a nós mesmos, mas confiamos em Deus o suficiente para que ele relativize os nossos anseios. Uma oração de indiferença não nega a bondade do desejo, mas é uma decisão — enquanto formos capazes — de desejarmos mais a Deus. Com esta oração, pedimos que o nosso querer seja o querer de Deus. A resposta de Maria é um padrão para adotarmos. Esta estranha forma de orar — e de viver — faz a alegria nascer: "cumpra-se em mim a tua palavra."

Admito que, para mim, esse tipo de oração ainda parece ser para faixas-pretas espirituais. Equilibrar desejo e confiança, anseio e santa indiferença parece ser um nível inalcançável de maestria espiritual. Porém eu tenho uma oração a fazer e um padrão a seguir.

A humildade de Flannery O'Connor sobre seu desejo e sofrimento me dá esperança. Quando ela estava doente, ainda na faixa dos trinta e morrendo de lúpus, ela escreveu para um amigo: "eu posso, apertando os olhos um pouco, considerar tudo uma bênção."[5] Esse é o tipo de abandono que leva à alegria. Deus é fidedigno e o que ele nos dá é uma bênção, mesmo se precisarmos apertar os olhos um pouco para ver.

✦ ✦ ✦

Amor e perda são hélices duplas deste lado do céu. Você não pode ter um sem ter o outro. O chamado de Deus para as

---

5   O`CONNOR, Flannery. *The habit of being*. Nova York: Farrar, Strauss & Giroux, 1988, p. 57.

nossas vidas inevitavelmente requer que arrisquemos ambos. Nós experimentamos essa realidade listrada nas partes mais importantes da vida: ao lutar no casamento ou na solteirice e celibato, ao amar e educar filhos, no trabalho e ao servir à igreja.

Sempre que oro para que Deus "defenda os alegres", eu penso na minha filha mais nova. Os seus olhos marrons são os mais brilhosos que eu já vi. Ela é risonha e radiante e parece ter saído rindo da minha barriga. Todo impulso maternal em mim diz para eu manter essa inocência jovial viva. Eu não quero que seus olhos se fechem com o luto. Eu não quero que ela conheça a dureza da vida. Contudo, a minha oração para que ela seja protegida de toda dor se baseia muitas vezes em medo e desconfiança, e não em fé.

Se o filho de Maria, a fonte de toda alegria, conheceu a angústia, a minha filha também conhecerá. Então quando eu oro para que Deus "defenda os alegres", eu não estou orando para que Deus faça todas as circunstâncias colaborarem a seu favor ou que sua alegria nunca seja misturada com luto.

Pelo contrário, oramos para que o próprio Deus nos defenda, de modo que, quando prazeres menores se dissolverem frente à dor, possamos lentamente encontrar onde está a alegria permanente. E oramos para que, debaixo da superfície das nossas vidas, fáceis ou árduas como são, haja uma corrente constante de amor que nunca se seque.

PARTE 4

CLÍMAX

E a mensagem que dele ouvimos
e vos anunciamos é esta: Deus é luz,
e nele não há treva alguma.

1 João 1.5

Nas sombras desta cena,
A noite é espessa.
Mal, figurante, acena,
Mas o amor fez a peça.

DAVID WILCOX, "SHOW THE WAY"

13

TUDO ISTO TE SUPLICAMOS POR TEU GRANDE AMOR

Alvorada

A vida cristã se parece mais com um poema do que com uma enciclopédia.

Segundo o poeta Scott Cairns, "uma das razões por que eu gosto de poesia [...] é que um grande poema insiste que o leitor aprenda a honrar a ambiguidade, que ele aprenda a colaborar com as possibilidades sugestivas de um poema [...] Isto é, um grande poema — na verdade, mesmo um poema bem decente — nunca esgota o que tem a dizer."[1] O que é verdade para a poesia é verdade para a vida cristã também. A perplexidade faz parte da fé cristã. Ela por natureza nos torna perplexos. Não temos uma fé para explicação, mas para salvação.

Isto não é dizer que o cristianismo é um completo enigma ou uma massinha de modelar para dar a forma que quisermos.

---

1   CAIRNS, Scott. *The end of suffering: finding purpose in pain*. Brewster: Paraclete Press, 2009, p. 101.

CLÍMAX

A vida cristã não é uma enciclopédia, mas também não é versos livres. Como poesia, ela tem limites — até regras, como um soneto. A doutrina cristã é a nossa gramática e sintaxe; ela nos fornece a coerência da vida cristã. Rejeitar a verdade doutrinária em troca de uma fé inventada e sem limites faz tanto sentido quanto um poeta rejeitar o alfabeto ou as palavras. Essas verdades da Escritura, transmitidas a nós pela igreja, são a única forma de se ter um poema. Se as abandonarmos, perdemos a poesia. Todavia, como um poema, as letras ou as palavras não são fins em si mesmas, mas ferramentas que nos levam a algo maior. O fim não é o alfabeto ou a estrutura do soneto, mas o mistério e o sentido ali revelados, que, no cristianismo, é o próprio Deus. Contudo, na poesia da vida cristã — em seus credos, liturgia e ética — sempre há um resquício, um espaço que não conseguimos mapear bem. Há muito que não podemos saber sobre Deus.

Portanto, ser cristão é honrar a ambiguidade. Requer uma disposição de aceitar o mistério e admitir que há limites para o conhecimento humano. Deus quer que saibamos apenas o essencial e parece haver muito que não é essencial saber.

Mas se é para confiarmos em Deus no meio de tanta perplexidade, nós precisamos aprender (e continuar aprendendo de novo e de novo) que, se a vida cristã é um poema, é um poema de amor. E isso não é tudo. O poema também tem lamento, raiva e até fúria. Conta histórias e faz listas. Mas o coração pulsante do poema — e a chave para entendê-lo, ao menos parcialmente — é um Deus de amor que vive, morre e ressuscita.

Deus é bem mais vasto e mais misterioso do que podemos contemplar , porém, ele se revelou. Ele se mostrou e nos contou quem ele é. Deus falou. E o que ele disse, em Cristo, é que ele nos ama e é por nós. Essa é a poesia fundamental que organiza toda a nossa vida.

Uma das minhas músicas favoritas é da cantora folk Julie Miller. Chama-se *"The speed of light"* [a velocidade da luz].[2] A música está num álbum que Miller escreveu num período bem tenebroso da sua vida. Ela estava padecendo de fibromialgia e estava enlutada com a morte súbita de seu amado irmão.[3] Nesta estação, ela escreveu as seguintes palavras: "A única coisa que não muda, que faz todo o resto se reorganizar, é a velocidade da luz, a velocidade da luz. O seu amor por mim deve ser a velocidade da luz."

A velocidade da luz no vácuo — 299.792.458 metros por segundo, comumente denotado simplesmente por c — é uma constante física universal. É uma realidade fixa do universo físico. Em sua discussão sofisticada sobre a teologia e a ciência da luz, o teólogo Stratford Caldecott explica como, por meio da complexidade de campos eletromagnéticos, a própria luz permeia todas as coisas, preservando a existência de tudo. Ele cita Andrew Steane, físico de Oxford, que escreve que "se não fosse por essa dança de energia e luz, eu cairia pela superfície da estrada no interior do planeta Terra — ou, para ser mais preciso e completo, o meu corpo dissiparia inteiramente num vapor de poeira, bem como a Terra."[4]

Esse mundo está cheio de beleza e terror, mas a realidade imutável por trás de tudo é o amor de Deus que cria, sustenta e redime todas as coisas. É uma constante nos preservando. Ela é mais íntima de nós que nosso próprio respirar e nos faz

---

2   MILLER, Julie. "Speed of Light". *Broken things*. Hightone Records, 1999.

3   HIMES, Geoffrey. "Buddy and Julie Miller walk the line". *Paste Magazine*. 28 de maio de 2009. <https://www.pastemagazine.com/music/buddy-julie-miller/buddy-julie-miller-walk-the-line/>

4   CALDECOTT, Stratford. *The radiance of being: dimensions of cosmic Christianity*. Brooklyn: Angelico Press, 2013, p. 12-14.

andar mais rápido que 299.792.458 metros por segundo. Todas as nossas dúvidas, questões, medos e alegrias giram em torno do ponto fixo do amor de Deus.

✦ ✦ ✦

Se esta oração das completas nos faz andar lentamente por uma longa noite escura, esta última frase — "tudo isto te suplicamos por teu grande amor. Amém" — é uma pontada do sol surgindo no Oriente. A realidade inabalável do amor rompe as sombras da vulnerabilidade e da morte, e vemos que essa oração somente pode ser feita se há um Deus que nos ama. Nós choramos porque podemos lamentar para alguém que se importa com nossa angústia. Nós vigiamos porque cremos num Amor que não nos abandonará. Nós trabalhamos porque Deus está restaurando o mundo em amor. Nós podemos dormir porque Deus governa o cosmos por amor. Toda doença pode ser curada pelo amor. Quando estamos cansados, recebemos descanso porque somos amados. O amor nos encontra mesmo na morte, trazendo suas bênçãos. No nosso sofrimento, somos consolados pelo Amor. Na aflição, Deus habita conosco em amor. E em cada alegria da vida o amor flui livremente da profunda fonte do amor de Deus. Tudo que já pedimos de Deus — seu cuidado, dádivas, bênçãos, confortos, compaixão e defesa — é pelo grande amor dele.

Esta oração da noite — e, na verdade, todas as orações — são afluentes que encontram seu escoamento no oceano bravio do amor trino de Deus. Então, ao nos sentarmos, cansados, no fim de um dia comum, e orarmos as completas, a verdade mais definitiva sobre nós é que somos amados.

Na verdade, não existe um jeito errado de orar. Você não pode ser reprovado na oração, a não ser que desista completamente dela. Mas a oração pode nos deformar caso suspeitemos que oramos para um Deus que mal pode nos aturar, que é malicioso, furioso e está atrás de nós para nos pegar, que revira os seus olhos quando lhe invocamos e que precisamos convencer a nos ouvir. Não oramos para preencher um quadradinho numa lista de afazeres espirituais, para sermos bons meninos e boas meninas e conseguir alguns restos de Deus, como se colocássemos alguns centavos numa máquina inerte esperando que ela venha à vida, ou como se persuadíssemos a uma divindade raivosa a aliviar a nossa barra. Não oramos para convencer Deus a olhar as nossas necessidades. Ele nos pede para orar, para lhe contarmos o que mais desejamos, porque nos ama com um amor profundo e avassalador.

Começamos o longo ofício da fé e da prática da oração em resposta ao fato obstinado de que já somos amados. O amor de Deus e a devoção dele por nós, e não a nossa a ele, são a fonte da oração. Ele é o primeiro motor da oração, aquele que nos chamava antes de jamais podermos lhe chamar. E ele não irá parar de chamar, não importa quão escura fique a noite. A luz, e não as trevas, é a constante.

A própria oração, portanto, é uma disposição de entrar na ambiguidade e vulnerabilidade, mas é a ambiguidade e a vulnerabilidade de nos vermos amados e precisando aprender, de novo e de novo, como receber esse amor e confiar que ele continuará fiel.

Para alguns de nós, é difícil acreditar que somos amados porque pensamos (ou alguém nos disse) que não dá para nos amar.

Outros já ouviram que Deus nos ama tantas vezes que ficou entediante. É como um jornal velho. Nossa vovó nos ama também. Que legal. Mas certamente não é o principal fato das nossas vidas. Não é o que nos segura nos nossos piores dias.

Uma razão para orarmos é para que o amor de Deus deixe de ser uma ideia gasta e mofada e se torne, na verdade, a nossa luz — a iluminação que nos permite ver tudo.

Ao fazer esta oração das completas, com sua litania de vulnerabilidades humanas, eu relembro que todas as categorias de sofrimento na terra são reais e horrorosas. Mas eu também lembro que elas não podem nos separar do amor de Deus. Toda a vida humana, nosso sofrimento e alegria, nossos corações partidos e risadas de cada dia, cada momento de nossas vidas tem sentido porque o nosso fim é nos descobrir em Cristo, eternamente amados por Deus.

As nossas vidas têm coração partido, dor, dúvida e desespero e, contudo, o que permanece, o que sempre permanece, é o amor daquele "cuja beleza está além da mudança", como escreveu Gerard Manley Hopkins.[5] A âncora de toda teodiceia, e de toda oração e da prática cristã é o amor generoso de Deus.

No fim, a única forma de passar por este mistério é colocar todo o peso de nossas vidas no amor de Deus. E a única coisa que faz suportar esse mistério valer a pena é se Deus realmente nos amar.

✦ ✦ ✦

Quando a minha filha mais velha era bem pequena, ela se prendia a certas questões. Ela perguntaria a mesma coisa por semanas, algumas vezes por meses, vez após vez. O meu marido e eu tentávamos responder o mais pacientemente que conseguíamos todas as milhares de vezes.

Havia duas perguntas que ela repetia sempre. A primeira se tornou uma espécie de piada familiar porque, agora que já cresceu, ela não lembra quão frequentemente ela fazia essa pergunta. A outra é tão fofa que eu não faço piada porque eu me identifico profundamente com ela.

---

5   HOPKINS, Gerard Manley. "Pied Beauty". <https://www.poetryfoundation.org/poems/44399/pied-beauty>

A primeira pergunta, que surgiu por volta dos dois ou três anos de idade, era ela falar, meses a fio: "Qual é o seu nome?" O pai dela respondia: "Jonathan." "Qual é o seu nome do meio?" "Edward." "Headward?" ela respondia como se esta fosse uma informação nova e interessante que ela não tinha recebido já pela terceira vez naquela manhã. "Não, não é 'headward', é Edward", ele corrigia. Então ela continuava: "Qual é o seu sobrenome?" E então ela perguntaria para todo mundo — eu, Jonathan, desconhecidos e qualquer um que quisesse lhe contar o seu nome completo. E ela faria essa pergunta quantas vezes fosse possível. Eventualmente (graças a Deus), ela parou com essa pergunta.

Anos depois, uma questão diferente surgiu: "Mamãe, você me ama?" "Papai, você me ama?" Ela era um pouquinho mais velha agora e ela sabia que estava fazendo essa pergunta demais. Ela admitia — dizia: "desculpa perguntar de novo." Mas ela precisava ouvir a resposta de novo e de novo. Ela não perguntava porque nós não tínhamos lhe dito que a amávamos, mas porque era tão fácil duvidar, questionar se era verdade, esquecer, ou se perguntar se dava para confiar. Todos nós precisamos ouvir isso de novo e de novo.

Eu venho a Deus, de novo e de novo, com toda espécie de perguntas. Mas todas elas, de uma forma ou de outra, se resumem a duas perguntas que a minha filha me fez milhares de vezes: qual é o seu nome? Você me ama?

Nas Escrituras, o nome de uma pessoa sempre está ligado ao seu caráter — quem ela é e como ela é. A minha pergunta constante a Deus é: como você é? Dá para confiar em você? Você é bom?

E eu pergunto: você me ama? Você pode me falar de novo? É difícil de eu lembrar e crer nisso. Você é um Deus de amor? E esse amor é para mim? Até aqui? Até agora?

219

Certa noite, não muito depois do final de 2017, eu tive um sonho sombrio e bem nítido. Nele, eu tinha uma melhor amiga. Ela era uma pessoa adorável de quase todas as formas e éramos inseparáveis. Mas, no meio do sonho, eu descobri que ela era uma assassina de aluguel. Ela normalmente era gentil e generosa, mas ela ocasionalmente matava pessoas para ganhar dinheiro. Nesse sonho, eu me angustiava sem saber se poderia confiar na minha grande amiga. Então eu vi a lista dela de alvos e eu era a próxima da lista.

Ela foi sincera comigo sobre isso. Ela não queria me matar, mas esse era o trabalho dela. Ela precisava tomar uma decisão. Eu lhe implorei para que poupasse a minha vida, para que encontrasse outro emprego. Então eu acordei de supetão, no meio do meu quarto escuro.

No silêncio da noite, eu sabia que o sonho era sobre como eu via a Deus. Eu o amava; eu o tinha considerado um amigo por um bom tempo, mas eu não confiava nele. Ele podia ser tão amável, mas ele também tinha uma lista de alvos. E eu estava nela.

Essa imagem de Deus como assassino de aluguel mostra a minha incredulidade, o quão pouco eu conheço de Deus.

Deus não é como um assassino de aluguel que, apesar das aparências, guarda uma malícia oculta. Se Deus está atrás de nós para nos pegar, não é para nos destruir, mas para nos amar.

C.S. Lewis nos diz que o maior perigo que a maioria de nós encara não é parar de acreditar em Deus, mas começar a acreditar em "coisas terríveis sobre ele."[6] O medo que sentimos é que descubramos: "então é assim que Deus é?!" Ele não é de confiança.

---

6   LEWIS, C.S. *A grief observed*. Nova York: HarperCollins, 2001, p. 6 [Edição em português: *A anatomia de uma dor*. São Paulo: Editora Vida, 2006].

A razão de Deus ser confiável é porque Deus é amor. E o seu amor não é como o nosso. O nosso amor — do melhor até o pior — parece mais com o dia e a noite. Ele vem e vai, sobe e desce. Às vezes, nós amamos com pureza e nobreza, e é glorioso. Mas sempre se esgota e esmorece. O sol se põe.

O amor de Deus é uma constante, não como a noite e o dia, mas como a velocidade da luz. O amor dele é o centro de todas as coisas e não há trevas nele. O amor de Deus — não a doença ou o cansaço ou a morte ou o sofrimento ou a aflição ou a alegria — é o centro fixo de nossas vidas e da eternidade.

✦ ✦ ✦

Existe um aforismo que se repete muitas vezes nos escritos da igreja medieval: *per crucem ad lucem*, pela cruz para a luz.

Deus nos ama apaixonadamente e quer nos trazer alegria e realização, mas isso não exclui a cruz. O amor de Deus se refrata por meio da cruz, o que muitas vezes o torna difícil de ver ou reconhecer. Mas se é para aprendermos a confiar — a colocar o peso de nossas vidas no amor de Deus —, apenas podemos aprender isso por meio da cruz.

Passamos a conhecer e a confiar no amor de Deus mais profundamente por meio de nossas cruzes, daquelas coisas que nos fazem sentir que não aguentamos continuar, as coisas que nos cansam — o desemprego, o término, a doença, a solidão, a longa batalha contra o pecado, o distanciamento de um amigo, a decepção, as mortes de quem amamos, a nossa morte.

Eu queria que tivesse um jeito mais fácil, um jeito de confiar em Deus que fosse cercado de luxos e conforto sem fim, mas *per crucem ad lucem*: o caminho para a luz inclui passar bem no meio das trevas — ou, para ser mais exata, descobrimos a luz correndo em nossa direção justamente nesses lugares extremamente escuros.

E certamente a realidade do amor imutável de Deus não quer dizer que sempre *sentimos* o amor ou a proximidade de Deus. É comum em momentos de sofrimento que sintamos que Deus está fora do nosso alcance.

O amor de Deus não extingue a angústia. Ainda não, melhor dizendo. O amor dele é firme, mas é incalculável; gentil, mas indomável. Ele não se limita por nossas opiniões. Ele nos abala, mas nos liberta. Ele nos esmaga e também nos ensina como viver. Ele é tão perturbador quanto é consolador. Ele nos aceita como estamos, mas insiste em nos reintegrar e fazer vibrantemente vivos — e esse processo é longo e doloroso. O amor furioso e ilimitado de Deus dá sentido e dignidade a toda nossa vulnerabilidade, mas ainda dói um bocado viver mais um dia de vez em quando.

Em vez de nos resgatar de nossa vulnerabilidade, Deus muitas vezes nos chama para mais fundo dela. Logo, acreditar que somos profundamente amados significa saber que a decepção e a dor que encontramos não acontecem por que estamos sendo rejeitados ou ignorados por Deus. Como escreve Tim Keller, "se perguntarmos [...] por que Deus permite que o mal e o sofrimento continuem? [...] E olharmos para a cruz de Deus, ainda não sabemos qual é a resposta. Contudo, nós sabemos o que não é a resposta. Não pode ser que ele não nos ama."[7]

No final das contas, *per crucem ad lucem*, esta peregrinação à luz, não passa apenas por nossas cruzes, mas pela cruz de Jesus.

Jesus disse: "Ninguém tem maior amor do que aquele que dá a própria vida pelos seus amigos" (João 15.13). E ele a deu. Diferentemente da amiga no meu sonho que tirava vidas

---

7   KELLER, Tim. *The reason for God*. Nova York: Penguin, 2008, p. 31 [Edição em português: *A fé na era do ceticismo*. São Paulo: Edições Vida Nova, 2015].

arbitrariamente, ele deu a vida dele por nós. As trevas da morte foram rompidas por seu amor resplandecente.

Quando vemos o amor de Jesus, vemos a plenitude de Deus. Aqui está o que estou lentamente me esforçando para crer: não há lado escuro em Deus; não há uma decepção oculta ou algumas trevas por trás do Deus revelado em Jesus. O Deus a quem oramos é o Deus que nos ama — infindavelmente, incansavelmente, pacientemente e poderosamente.

✦ ✦ ✦

O clímax desta oração e o clímax de toda a história — incluindo das nossas vidas — é "tudo isto te suplicamos por teu grande amor. Amém." O amor de Deus tem a última palavra.

As Escrituras nos dizem que "sabemos que Deus faz com que todas as coisas concorram para o bem daqueles que o amam, dos que são chamados segundo o seu propósito" (Romanos 8.28). Como um artesão habilidoso, Deus encontra um uso para todas as coisas. Tudo é matéria-prima para a sua obra redentiva.

Porém, ainda que Deus use tudo, ele não *causa* o sofrimento como um meio para um bem maior. O próprio Deus é o maior bem de todos e ele julga — e, em última instância, derrota e destrói — tudo que não flui de sua bondade.

No fim, as trevas não serão explicadas; elas serão derrotadas. A noite não será justificada ou resolvida; ela deve ser suportada até que a luz lhe supere e ela não exista mais.

Enquanto isso, não paramos de fazer nossas perguntas para Deus. Ele nos permite fazê-las quando precisamos porque ele nos ama. E nós trazemos nossa perplexidade nas orações e práticas da igreja de modo que elas possam moldar e direcionar nossas perguntas.

Por meio de suas orações, práticas e culto público, a igreja nos diz vez após vez: "Deus é assim. Este é o nome dele. É assim que você sabe que ele te ama."

CLÍMAX

Juntos, suportamos um mistério; vivemos no já e no ainda não. Mas não apenas *suportamos* um mistério, como também *proclamamos* um mistério. No domingo, quando celebro a comunhão, eu digo à congregação: "eis o mistério da fé." E então dizemos juntos:

> Cristo morreu.
> Cristo ressuscitou.
> Cristo retornará

Cristo entrou completamente em nossa tristeza, em nossa doença, em nossa aflição, em nosso cansaço, em nosso sofrimento, em nossa morte. Contudo, ele vive e ele vai endireitar todas as coisas.

Nesta mesma liturgia eucarística, oramos: "na plenitude do tempo, sujeite todas as coisas sob o teu Cristo e nos leve junto com todos os santos à alegria de teu reino celestial, onde veremos o nosso Senhor face a face." Enquanto isso, choramos, vigiamos e trabalhamos em meio a trevas e vulnerabilidade. Recebemos as Escrituras, a igreja, as práticas de nossa fé e o dom da oração. E continuaremos a andar no caminho que recebemos, pela cruz, para a luz, e fazemos essas perguntas: "Quem é você? Você nos ama?" até que possamos fazê-las ao nosso Senhor face a face.

E nesse instante todas as nossas dúvidas teimosas e questões fiéis desvanecerão em silêncio. O que provamos por breves momentos, o que ansiamos e o que tocamos, ainda que levemente, nessas antigas orações e práticas, conheceremos plenamente. Pois veremos a luz que as trevas não podem cobrir. Encontraremos a realidade imutável do amor. E então vamos saber que tudo que aconteceu foi pelo Grande Amor.

AGRADECIMENTOS

Agradeço a Cindy Bunch, Ethan McCarthy e todo o time da IVP, que não só são talentosos e trabalhadores, como também seres humanos adoráveis.

Agradeço imensamente à Igreja da Ascensão, em Pittsburgh, especialmente a Jonathan e Andrea Millard e toda liderança e equipe da igreja. (E a Jim Wilson, pelo chocolate quente.) Vocês como igreja nos carregaram durante esses anos e este livro não seria possível sem vocês.

Agradeço a Hunter e Julie Dockery por estarem no meu livro e por me mostrar um Deus belo o suficiente para confiar nele. Agradeço também a Monica Lacy Bennett, Katy Hutson, Noel Jaboour, Amy Bornman, Jen Hemphill e Steven e Bethany Hebbard pela amizade e por nos permitir compartilhar suas ideias e histórias nessas páginas. Obrigado a Hannah e a Andy Halfhill por serem os heróis ocasionais do prefácio e por serem meus amigos mesmo depois de eu estragar as suas toalhas.

Agradeço também Alex e Jane Banfield-Hicks por me deixarem usar a casa deles para me retirar e escrever, o que permitiu este livro nascer. E a Ginger Stage, por perguntar e ouvir.

AGRADECIMENTOS

Eu agradeço a esses leitores, amigos, amigos de Facebook e seguidores de Twitter que torcem por mim e compartilham meu trabalho. Eles possibilitam isto acontecer.

Há muitos amigos profundamente amados para agradecer e nunca conseguiria fazer uma lista de todos eles, então não vou nem tentar. Mas eu queria agradecer o meu grupo supersecreto de oração por escrita (embora eu não possa listar todos vocês, eu amo e agradeço a cada um de vocês por suas orações).

Eu não poderia fazer isto sem a ajuda e o encorajamento de outros escritores. Agradeço especialmente a Andy Crouch por ser o meu mentor de escrita (mesmo que você nunca tenha pedido por isso). A Esau McCaulley, por todas as ligações. A Karen Swallow Prior e o esquadrão do Pelican Project. A Wes Hill por sua ajuda para pensar sobre esta ideia em seus primeiros estágios. E a Andrea Palpant Dilley, que me deu o feedback de certas porções do manuscrito e me incentivou durante a escrita.

Agradeço profundamente a Marcia Bosscher, sempre sendo uma boa revisora, por sua ajuda com a edição, oração e animação. Obrigado por escutar minhas reclamações e me encorajar a continuar escrevendo.

Agradeço a Marilyn e Charlie Chislaghi que foram como uma família para nós nos anos em que este livro estava em processo de gestação e nascimento. Obrigado também por me darem um lugar tranquilo para escrever.

A Woody Giles, meu caro amigo, que deu um bom feedback sobre o manuscrito (e sobre tudo o mais na minha vida).

Obrigado a minha família na Georgia, especialmente Sandra e Jerry Dover. E ao time do Texas, especialmente Laura, James Mayes, David e Laci Harrison (e suas famílias). Tenho a mais profunda gratidão pela minha mãe, Loraine, que nunca impediu que eu entrasse nas cobertas à noite quando eu tinha medo do escuro.

AGRADECIMENTOS

Cada palavra deste livro constitui, em parte, um memorial ao meu pai e aos filhos que perdemos. Eu mal posso esperar para estar com vocês de novo quando a manhã chegar.

Finalmente, agradeço a minhas garotas, Raine e Flannery, que se sacrificaram para que eu pudesse escrever. Eu não posso agradecê-las o bastante. E ao Gus, que recebemos neste mundo assim que terminei o manuscrito. Conhecer cada um de vocês e ver vocês crescerem é a minha parte favorita de estar viva. Eu amo vocês e tenho prazer em vocês, e eu dedico este livro a vocês, esperando que ele possa ajudá-los a lembrar, quando crescerem, de que vocês sempre foram profundamente amados.

Eu agradeço imensamente ao meu marido, Jonathan. Pela graça de Deus, andamos por esses anos difíceis e nos apaixonamos de novo em meio a eles. Você não só é um parceiro que me apoia, mas também um profundo teólogo cuja energia, sugestões e ideias moldaram a mim e a este projeto. Obrigado por tudo!

E glória à Palavra, de quem toda bondade em nossas palavrinhas flui e por quem elas serão redimidas. Envia-nos tua luz e verdade, e que elas nos guiem.

PERGUNTAS PARA DISCUSSÃO E PRÁTICAS SUGERIDAS

Estas perguntas para discussão e práticas podem ser feitas individualmente ou em grupo. Se utilizadas individualmente, as perguntas podem servir como ponto de partida para escrever num diário.

Para grupos, o texto foi dividido em cinco sessões para um estudo de seis semanas. A ideia seria ler e discutir este livro por cinco semanas e depois concluir com uma refeição e orar as completas juntas na última semana (ou qualquer outro ofício se vocês se encontrarem durante o dia). Isso pode ser adaptado para estudos menores ou maiores. Você também pode fazer perguntas abertas como: "Quais partes deste capítulo chamaram mais a sua atenção? Por quê?"

As práticas foram feitas como um convite, ao invés de uma lista de afazeres. Quer você esteja em grupo, quer esteja sozinho, leia as práticas para cada sessão e tente de 1 a 3 a cada semana. Então reflita sobre a experiência em grupo, com um amigo ou no seu diário.

PERGUNTAS PARA DISCUSSÃO E PRÁTICAS SUGERIDAS

SESSÃO 1

PERGUNTAS PARA DISCUSSÃO

PRÓLOGO

1. Você já se lembrou durante uma emergência, ou em momentos de maior ansiedade ou vulnerabilidade, de certa passagem bíblica, música, oração ou disciplina? Se você tem uma história assim, compartilhe com o seu grupo ou escreva no seu diário sobre isso. Como você se sentiu quando você começou com essas palavras ou essa prática?

2. A autora diz: "A fé, conforme passei a acreditar, é mais um ofício que um sentimento. E a oração é a nossa principal prática nesse ofício." Quais são as implicações da fé ser como um ofício? Como isso mudaria a sua forma de adorar e orar?

CAPÍTULO 1

1. Como você encara a noite? É um momento de ansiedade, paz, luto, distração ou outra coisa? Como você se sente no escuro?

2. Já houve alguma época na sua vida que orar era difícil? Por quê?

3. Você cresceu com pessoas que oravam? Qual era o seu jeito "padrão" de pensar sobre oração na sua criação? Você já orou "as orações de outra pessoa"?

4. Quais são as vantagens ou as desvantagens de fazer "orações de outras pessoas"?

CAPÍTULO 2

1. A autora diz: "Como pastora, já percebi que nos momentos mais vulneráveis e humanos de nossas vidas, doutrinas são inevitáveis. Quando tudo se desmancha no ar, todos nós,

230

PERGUNTAS PARA DISCUSSÃO E PRÁTICAS SUGERIDAS

de ateus a monges, recuamos para o que cremos sobre o mundo, sobre nós mesmos e sobre Deus." Você já passou por alguma crise ou sofrimento em que você recuou para certa doutrina ou para o que você acreditava? Descreva essa experiência e diga que história ou convicção subjacente te apoiou.

2. Existe alguma área da sua vida em que você tem Deus no banco dos réus? Onde o seu veredito sobre a bondade dele depende de um resultado específico?

3. A autora destaca a doutrina, mas ela depois diz que não podemos deixar a história cristã em nossas cabeças como se fosse um simples fato. Como a doutrina e a prática se juntam quando estamos sofrendo ou encontrando vulnerabilidades?

PRÁTICAS

1. Fique sozinho à noite, sentado num ambiente tranquilo, sem telas ou trabalho por perto. Desligue as luzes do cômodo e use apenas lanternas ou velas. Reflita sobre os pensamentos, sentimentos ou perguntas que brotam nesse período.

2. Passe uma noite inteira sem energia elétrica. Escreva os seus pensamentos sobre essa experiência.

3. Tente formas diferentes de oração: as completas ou outra oração escrita, oração extemporânea ou escrever num diário de oração. Escolha um tipo de oração com que não está acostumado. Você pode encontrar uma versão das completas no final deste livro.

4. Escreva num diário sobre quais "moledros" na sua vida foram mais importantes para você. Quais práticas você recebeu para que você não se perdesse?

5. Leia o Evangelho de Marcos numa sentada só ou ao longo de uma semana. Destaque todas as formas que você vê Jesus experimentando vulnerabilidades e entrando na experiência humana.

PERGUNTAS PARA DISCUSSÃO E PRÁTICAS SUGERIDAS

SESSÃO 2

PERGUNTAS PARA DISCUSSÃO

CAPÍTULO 3

1. Como você lamenta o sofrimento comum ou ordinário na sua vida? Há certas práticas que te ajudaram nessa empreitada?

2. O que você faz quando você se sente triste ou deprimido? Há padrões ou hábitos de distração ou raiva que disfarçam a tristeza na sua vida? Onde você pensa que aprendeu essas estratégias para evitar o luto?

3. A autora cita Lauren Winner, que diz: "o que as igrejas não fazem tão bem é o lamento. Perdemos um ritual para o processo longo e cansativo de angústia e perda." Isso é verdade, segundo a sua experiência de igreja? Ou você já viu a igreja lamentar bem ou de uma forma bela?

4. Você percebe que o luto se acumula ou incomoda mais durante a noite? Por quê?

CAPÍTULO 4

1. Como a esperança escatológica de que tudo estará bem muda como vigiamos e esperamos no presente? Como a esperança da ressurreição informa lutas específicas na sua vida neste exato momento?

2. Você pode pensar num tempo em que você vigiou durante a noite? Como foi? O que esta experiência lhe ensinou sobre esperar e vigiar como uma metáfora para toda a vida cristã?

3. Como você "fica acordado" para Deus? Que tipos de experiência te despertam para a presença ou a ação de Deus na sua vida?

CAPÍTULO 5

1. Você já trabalhou à noite? Como foi para você?

2. Como o seu trabalho cotidiano participa no trabalho de Deus de restaurar o mundo, de formas grandes e pequenas?

3. Onde você vê o pressuposto da "agência competitiva" na igreja, no mundo e na sua vivência? Você vê formas em que separamos "pensamentos e orações" e a ação?

PRÁTICAS

1. Separe um tempo para o lamento. Isso pode ser por uma hora ou por um dia, mas se permita sentir emoções desconfortáveis e tristeza. Ore, escreva num diário, chore, fique em silêncio e dê espaço para o luto.

2. Ore salmos de lamento em voz alta por uma semana. Aqui estão alguns para você tentar: Salmos 22, 44 e 88. Memorize cada um desses salmos, ou um trecho de cada um deles, e os recite em voz alta de cor várias vezes por dia.

3. Escreva um salmo de lamento sobre a sua vida ou sobre o seu trabalho. Leia vários salmos de lamento primeiro e utilize-os como modelo.

4. Escreva um diário ou faça um *brainstorming* com um amigo sobre como você vê Deus agindo na sua vida, na igreja ou na sua comunidade. Faça uma lista.

5. Vá para um museu de arte ou para um belo lugar a céu aberto. Pense e escreva sobre como essa beleza reflete a beleza de Deus. Como deve ser Deus, se a beleza reflete parte do seu caráter?

6. Doe ou se voluntarie para um ministério ou ONG que traz, de alguma forma, restauração para o mundo.

7. Escreva uma oração ou uma liturgia para o seu trabalho ou vocação, como Noel fez no capítulo cinco. Use-a por uma semana e reflita sobre como foi.

SESSÃO 3

PERGUNTAS PARA DISCUSSÃO

CAPÍTULO 6

1. Você já encontrou algo inexplicável ou um ser sobrenatural — um anjo, um fantasma ou um demônio? Como se trata o sobrenatural nos seus círculos sociais? Como era tratado na sua criação?

2. A autora diz que a oração muitas vezes antecede a crença. Houve algum momento que a oração ou outra prática espiritual antecederam a crença para você ou para seus filhos?

3. Como são seus hábitos de sono? Você já resolveu algum problema da sua vida ou esclareceu algum conceito na sua cabeça depois de dormir?

CAPÍTULO 7

1. Lembre uma vez que você ficou bem doente. Como a sua perspectiva sobre o que é importante ou necessário mudou por meio desta experiência?

2. Como você experimentou a realidade da vulnerabilidade no seu corpo? Isso afetou a sua vida espiritual ou suas disciplinas espirituais?

3. A fraqueza do seu corpo já serviu como um *memento mori* para você? Isso lhe lembrou da morte ou de suas limitações?

CAPÍTULO 8

1. Onde você já viu "fraqueza curada" em exibição na nossa cultura, na igreja ou na sua vida? Como isso se diferencia da vulnerabilidade?

2. Você já descansou depois de estar bem cansado? Quais práticas ou experiências lhe deram fôlego?

234

CAPÍTULO 9

1. Você já orou por alguém que mesmo assim morreu ou continuou doente? Como essa experiência afetou a sua vida de oração?

2. Você já observou formas de sentimentalismo ou de resistência à morte na igreja? A autora cita David Bentley Hart, que diz: "a nossa fé está num Deus que veio resgatar a sua criação do absurdo do pecado, do vazio e do desperdício da morte, das forças — quer a malícia planejada, quer o acaso imbecil — que esmagam almas vivas; e então temos a permissão de odiar essas coisas com um ódio perfeito." Como a nossa vida espiritual muda se somos permitidos odiar a morte e o sofrimento com o ódio que Deus tem por esses inimigos?

3. Você já experimentou certas bênçãos na sua vida? Como você reconcilia bênçãos com sofrimento e morte na sua vivência?

PRÁTICAS

1. Trabalhe na sua higiene do sono. Crie uma rotina de sono que inclua a mesma hora de dormir, atividades de conforto e pedir para Deus lhe proteger com os anjos dele, e a siga por uma semana (ou mais).

2. Escreva uma carta para o seu corpo. Agradeça ao seu corpo pelas formas que ele te dá vida e alegria. Expresse a sua frustração sobre como você experimentou a queda e os limites no seu corpo. Descreva o que você aprendeu a partir de sua corporeidade.

3. Pratique a oração silenciosa. Desligue o seu celular e tire distrações de perto. Sente-se na presença de Deus. À medida que certos pensamentos vêm a você, reconheça-os, deixe-os ir. Continue voltando à quietude mental e verbal perante Deus. Se esta é a primeira vez que você tentou

PERGUNTAS PARA DISCUSSÃO E PRÁTICAS SUGERIDAS

isso, coloque um alarme de cinco minutos. Às vezes ajuda acender uma vela e manter seus olhos focados nela durante esse momento de silêncio.

4. Leia a história de Lázaro em João 11. Medite sobre a grande "comoção" de Jesus quando vê a tumba. Qual expressão você acha que se passou pelo seu rosto? Como era a postura do seu corpo? Como ele interagia com quem estava perto dele?

5. Adote a prática beneditina de se lembrar da sua morte. Aqui estão algumas formas de fazer isso: (A) Compareça a um culto de Quarta-Feira de Cinzas. (B) Escreva num diário sobre o que você gostaria que as pessoas dissessem sobre você na sua elegia, e o que você precisa fazer agora para se tornar essa pessoa. (C) Escreva num diário sobre como as limitações físicas — doença, sono e luto — te lembram da morte e te fazem experimentar a morte em doses homeopáticas ao longo da sua vida

SESSÃO 4

PERGUNTAS PARA DISCUSSÃO

CAPÍTULO 10

1. A autora discute como damas-da-noite apenas desabrocham à noite. Também há certas partes da vida espiritual que só "desabrocham à noite"? O que você vê desabrochando na sua vida durante momentos de luta ou de dificuldade?

2. A autora descreve a diferença entre a "teologia da glória" e a "teologia da cruz." Há certas áreas na sua vida onde você tem uma teologia implícita da glória? E na nossa cultura, de forma geral?

3. De que formas você conhece a Deus como consolador? Como esse consolo é parecido ou diferente do que você naturalmente esperaria ou pensaria sobre o conforto?

PERGUNTAS PARA DISCUSSÃO E PRÁTICAS SUGERIDAS

4. Você concorda que a nossa cultura se apressa para superar o luto? Você se apressa durante o seu sofrimento? Onde você vê sinais disso na sua vida ou na sua cultura?

CAPÍTULO 11

1. A autora escreve: "Muitas vezes nós não sabemos como acompanhar as pessoas quando a estrada é longa e provavelmente não haverá final feliz." Como você avalia o cuidado da igreja pelos aflitos, ou a sua falta? Como você pode ajudar a sua igreja ou comunidade a cuidar bem de pessoas com dores crônicas ou necessidades de longo prazo?

2. A autora cita o seu amigo Steven dizendo que ele quer que as pessoas "busquem Jesus onde ele promete ser encontrado" e ela adiciona que isso se dá frequentemente entre os pobres, os necessitados e os aflitos. Como você já encontrou Jesus em suas aflições ou dentre os aflitos? Você pode compartilhar como foi essa experiência para você?

3. A autora discute como o próprio evangelho nos aflige. Você já viu isso em primeira mão na sua vida ou na vida de alguém próximo de você? Como você ou a pessoa que você ama confiam em Deus ou têm dificuldades de confiar em meio à aflição?

4. A autora escreve: "Muitas vezes as práticas espirituais mais fundamentais e formativas de nossas vidas são as coisas que nunca escolheríamos." Você descobriu uma espécie de formação espiritual nas partes da sua vida que foram involuntárias? Como essas coisas involuntárias moldaram e formaram você, a sua comunidade ou a sua visão de Deus?

PRÁTICAS

1. Escolha alguma prática ascética. Deve ser uma prática que abre mão de certo tipo de conforto ou prazer. Você pode tentar jejum, jejum parcial (deixar de ingerir apenas um tipo de alimento, como carne), acordar muito mais cedo

Perguntas para discussão e práticas sugeridas

ou algo do tipo. Tente isso por um dia, alguns dias ou uma semana. Escreva sobre isso num diário ou compartilhe com o seu grupo tudo que você observar neste período. Você está mais afinado às coisas espirituais? Você está mais ranzinza ou pavio curto, mais cansado ou faminto, mais triste ou ansioso?

2. Repare por uma semana ou por um mês ao que você recorre habitualmente para se animar ou para aliviar a dor. Faça uma lista dessas coisas e se pergunte o que você usufrui, lucra ou aproveita dessas coisas ou experiências. Considere jejuar de alguma delas por um tempo (mesmo que apenas por um dia) e depois volte a ela. Como o seu tempo distante desse conforto criado mudou como você pensa sobre isso ou interage com isso?

3. Passe tempo com um indivíduo, ou se voluntarie para estar com uma comunidade, que encara um sofrimento ou uma aflição contínuos. Como você encontra Jesus nessa pessoa ou grupo de pessoas?

4. Comprometa-se a orar durante um bom tempo — um mês, um trimestre ou um ano — por determinada comunidade aflita. Ore para que Deus se compadeça deles e peça para que Deus lhe ajude a acompanhar os aflitos.

SESSÃO 5

PERGUNTAS PARA DISCUSSÃO

CAPÍTULO 12

1. A alegria já pareceu "arriscada" para você? A autora diz que, por causa da autoproteção, ela não se permite sentir alegria. Isso se aplica a você? Como você escolhe a alegria apesar ou até por causa do risco associado a ela?

2. A autora diz que os cristãos possuem um entendimento sacramental da realidade, que ela explica como sendo a

PERGUNTAS PARA DISCUSSÃO E PRÁTICAS SUGERIDAS

ideia de que "as coisas da terra carregam consigo a presença sagrada de Deus." Como essa visão muda como experimentamos a criação e momentos de beleza ou de prazer?

3. A autora diz que a alegria é mais um músculo a ser exercitado que um sentimento. O que você pode fazer esta semana para "malhar" ou "praticar" a alegria como um compromisso e um exercício?

4. A autora menciona o álbum da banda Modest Mouse chamado: *Good news for people who love bad news* [boas notícias para quem ama más notícias]. Algumas pessoas tendem a ser mais melancólicas e pessimistas, e outras são naturalmente mais otimistas. Mas o pessimismo e o otimismo podem ser ambos desconectados da realidade, enquanto a alegria está conectada com a esperança de que a coisa mais profunda na realidade é o amor de Deus. Qual é a tendência mais natural da sua personalidade? Como você pode crescer em direção à realidade da esperança cristã?

CAPÍTULO 13

1. A autora diz que a fé cristã é verdadeira, mas de uma forma que mais se parece com um poema do que um verbete de enciclopédia, na medida em que há ambiguidade e perplexidade embutidas na experiência da fé. Você lê as Escrituras e vê a sua vida em Cristo dessa forma? Como perceber a verdade do cristianismo dessa forma muda a sua perspectiva?

2. A autora diz que o amor de Deus é como a velocidade da luz. É a constante que reorganiza todas as coisas e, portanto, é a única coisa pela qual vale a pena apostar a vida. Como seria para você apostar a sua vida no amor de Deus? Quem você conhece que já fez isso? O que mudou na vida dessa pessoa?

PERGUNTAS PARA DISCUSSÃO E PRÁTICAS SUGERIDAS

3. A autora observa como o amor de Deus pode parecer irreal ou porque alguém nos disse que não éramos amáveis ou porque parece irrelevante para nossas vidas. Ela discute como a oração nos ajuda a colocar "todo o peso" da nossa vida no amor de Deus. O que você pode fazer esta semana (este mês? Este ano?) para colocar mais confiança no amor de Deus?

4. A autora diz que todas as nossas questões sobre Deus que emergem de um mundo de sofrimento e vulnerabilidade se resumem a duas: *Quem você é? E posso confiar em você?* Como a encarnação, a morte e a ressurreição de Jesus nos ajudam a responder essas duas questões sobre Deus? O que te ajuda a manter essas verdades presentes na sua mente e coração quando você está sofrendo, ou simplesmente vivendo a sua rotina?

5. Ao longo do livro, a autora falou sobre como certas práticas sustentam a realidade da vulnerabilidade humana ao lado da fidedignidade de Deus numa tensão dinâmica. Nomeie algumas práticas cristãs que você adota hoje e discuta como elas sustentam essas duas realidades na sua vida.

Práticas

1. A autora descreve como a filha dela "orava com seu lápis e seu giz de cera." Separe um momento tranquilo para orar, desenhar ou pintar algo que você espera ou deseja. Apresente esse desenho a Deus como uma forma de ter esperança e, então, na medida da sua capacidade, entregue isso a Deus e faça a oração da indiferença sobre isso: "Cumpra-se em mim a tua palavra."

2. Faça uma "caminhada da gratidão". Caminhe ou ande de bicicleta e gaste esse tempo observando intencionalmente a beleza, as dádivas e qualquer bondade que você ver na sua vida e agradeça a Deus por isso.

PERGUNTAS PARA DISCUSSÃO E PRÁTICAS SUGERIDAS

3. Pratique a celebração de uma forma concreta. Escolha uma festa litúrgica ou um marco na sua vida ou na vida de outra pessoa (ou simplesmente celebre chegar em casa depois do trabalho numa quarta-feira qualquer!). Faça uma boa refeição, ouça sua música favorita e reúna amigos ou família (isso pode ser só uma pessoa ou um grupo todo). Escreva uma liturgia de celebração, em que você ora um salmo (algumas sugestões: Salmos 112, 136 e 145) e agradeça a Deus por suas bênçãos.

4. A autora escreve que passamos a acreditar mais no amor de Deus por nós ao colocar o peso de nossa vida e de nossas decisões no amor de Deus. Pense em uma coisa que você faria caso cresse absolutamente que Deus te ama, profunda e inteiramente. Tome um pequeno passo de confiança em direção a isso na próxima semana.

5. Leia Romanos 8 várias vezes e medite em uma palavra ou frase de cada capítulo. Pergunte a Deus o que ele quer que você faça em resposta a essa palavra ou frase. (Se você sabe fazer *lectio divina*, faça em Romanos 8). Escreva no seu diário sobre esses instantes de meditação.

6. Vá para a igreja e, se você já foi batizado, participe da Ceia ou Eucaristia. Alternativamente, presencie um batismo (ou seja você mesmo batizado, caso ainda não seja). Observe especialmente como amor e morte, luz e trevas são abordadas e tratadas nesses sacramentos.

COMPLETAS

+ Orações Iniciais

O dirigente inicia

O Senhor Onipotente nos conceda uma noite tranquila e a paz na derradeira hora. **Amém**.

Dirigente   Nosso socorro vem do Senhor;

Todos   **Que fez os céus e a terra.**

O dirigente continua

Confessemos humildemente nossos pecados a Deus todo-poderoso.

Pode seguir-se um silêncio. O dirigente e o povo, juntos, dizem

Deus todo-poderoso, nosso Pai celestial, nós confessamos a ti, uns aos outros, e a toda a companhia celestial que pecamos contra ti, por nossa própria e grande culpa, em pensamentos, palavras, obras e no bem que deixamos de fazer.

Por amor de teu Filho, nosso Senhor Jesus Cristo, tem misericórdia de nós, perdoa-nos os nossos pecados, e pelo poder do Espírito Santo, levanta-nos para que te sirvamos em novidade de vida, para a glória do teu nome. Amém.

Dirigente

Que o Deus todo-poderoso nos conceda perdão de todos os nossos pecados, e a graça e o consolo do Espírito Santo. Amém.

Dirigente	Ó Deus, apressa-te em nos livrar;
Todos	**Senhor, apressa-te em nos socorrer!**
Dirigente	Glória ao Pai e ao Filho e ao Espírito Santo.
Todos	**Como era, no princípio, agora e sempre, pelos séculos dos séculos. Amém.**

Exceto na Quaresma, adiciona-se **Aleluia!**

+ Salmos

Deverão ser recitados ou cantados um ou mais dos seguintes salmos, ou outras seleções adequadas do Saltério. Os asteriscos servem como alternativas para leitura alternada, pausas para reflexão pessoal ou para entonação musicalizada.

Salmo 4

¹ Ó Deus da minha justiça, responde-me quando clamo!*
Alivia minha angústia; tem misericórdia de mim e ouve minha oração.
² Ó mortais, até quando convertereis minha glória em vexame?*
Até quando amareis o que é fútil e buscareis a mentira?
³ Sabei que o Senhor distingue para si o piedoso;*
o Senhor me ouve quando clamo a ele.
⁴ Na vossa ira, não pequeis;*
consultai o coração no travesseiro e aquietai-vos.
⁵ Oferecei sacrifícios de justiça*
e confiai no Senhor.
⁶ Muitos dizem: Quem nos mostrará o bem?*
Senhor, faze resplandecer sobre nós a luz do teu rosto.

⁷ Encheste meu coração de mais alegria*
do que sentem os que têm cereal e vinho à vontade.
⁸ Em paz me deito e durmo,*
porque só tu, Senhor, fazes com que eu viva em segurança.

SALMO 31.1-5

¹ Senhor, eu me refugio em ti; que eu não me frustre;*
livra-me pela tua justiça!
² Inclina teus ouvidos para mim, livra-me depressa!*
Sê minha rocha de refúgio, uma fortaleza poderosa para me
salvar!
³ Porque tu és a minha rocha e a minha fortaleza;*
guia-me e encaminha-me por causa do teu nome.
⁴ Tira-me do laço que me armaram,*
pois tu és o meu refúgio.
⁵ Entrego o meu espírito nas tuas mãos;*
tu me remiste, ó Senhor, Deus da verdade.

SALMO 91

¹ Aquele que habita no esconderijo do Altíssimo*
e descansa à sombra do Todo-poderoso
² diz ao Senhor: Meu refúgio e minha fortaleza,*
meu Deus, em quem confio.
³ Pois ele te livra do laço que prende o passarinho*
e da peste mortal.
⁴ Ele te cobre com suas penas; tu encontras refúgio debaixo
das suas asas;*
sua verdade é escudo e proteção.
⁵ Não temerás os terrores da noite,*
nem a flecha lançada de dia,
⁶ nem a peste que se alastra na escuridão,*
nem a mortandade que arrasa ao meio-dia.

⁷ Poderão cair mil ao teu lado, e dez mil à tua direita;*
mas tu não serás atingido.
⁸ Somente contemplarás com teus olhos*
e verás a recompensa dos ímpios.
⁹ Porque fizeste do Senhor o teu refúgio,*
e do Altíssimo, tua habitação,
¹⁰ nenhum mal te sucederá,*
nem praga alguma chegará à tua tenda.
¹¹ Porque ele dará ordem a seus anjos a teu respeito,*
para que te protejam em todos os teus caminhos.
¹² Eles te sustentarão nas mãos,*
para que não tropeces em alguma pedra.
¹³ Pisarás o leão e a cobra;*
pisotearás o leão novo e a serpente.
¹⁴ Porque tanto me amou, eu o livrarei;*
eu o colocarei a salvo, pois conhece o meu nome.
¹⁵ Quando ele me invocar, eu lhe responderei;*
na sua angústia estarei com ele; eu o livrarei e o honrarei.
¹⁶ Darei a ele longevidade*
e lhe mostrarei a minha salvação.

Salmo 134

¹ Bendizei o Senhor, todos vós, seus servos,*
que de noite servis na casa do Senhor!
² Erguei as mãos para o santuário*
e bendizei o Senhor!
³ De Sião te abençoe o Senhor,*
que fez os céus e a terra!

Depois dos Salmos, canta-se ou diz-se
Glória ao Pai e ao Filho e ao Espírito Santo.
Como era, no princípio, agora e sempre, pelos séculos dos
séculos. Amém.

+ Breve Leitura

Ler-se-á uma dessas leituras, ou outra apropriada

Mas tu estás no meio de nós, ó Senhor, e nós somos chamados pelo teu nome; não nos abandones. *Jeremias 14.9,22*

Ou

Vinde a mim, todos os que estais cansados e sobrecarregados, e eu vos aliviarei. Tomai sobre vós o meu jugo e aprendei de mim, que sou manso e humilde de coração; e achareis descanso para a vossa alma. Porque o meu jugo é suave, e o meu fardo é leve. *Mateus 11.28-30*

Ou

O Deus de paz, que pelo sangue da aliança eterna trouxe dentre os mortos nosso Senhor Jesus, o grande Pastor das ovelhas, vos aperfeiçoe em toda boa obra, para fazerdes a sua vontade, realizando em nós o que perante ele é agradável, por meio de Jesus Cristo, a quem seja a glória para todo o sempre. Amém. *Hebreus 13.20-21*

Ou

Tende bom senso e estai atentos. O Diabo, vosso adversário, anda em derredor, rugindo como leão que procura a quem possa devorar. Resisti-lhe firmes na fé. *1Pedro 5.8,9*

Após a leitura, diz-se
Dirigente Palavra do Senhor!
Todos **Graças a Deus!**

Um período de silêncio pode-se seguir-se. Um hino apropriado pode ser cantado.

COMPLETAS

+ ORAÇÕES

Diz-se o responsório seguinte.

Dirigente	Eu tuas mãos, Senhor, entrego o meu espírito;
Todos	**Porque tu me remiste, ó Senhor, Deus da verdade.**
Dirigente	Guarda-nos, Senhor, como a menina dos teus olhos;
Todos	**Protege-nos à sombra de tuas asas.**

Senhor, tem piedade de nós.
Cristo, tem piedade de nós.
Senhor, tem piedade de nós.

Pai Nosso, que estás nos céus
     Santificado seja o teu nome
     Venha a nós o teu Reino
     Seja feita a tua vontade, assim na terra como no céu
O pão nosso de cada dia nos dá hoje
     Perdoa as nossas dívidas, assim como nós perdoamos os nossos devedores
     E não nos deixes cair em tentação,
     Mas livra-nos do mal,
Pois teu é o reino, o poder e a glória, pelos séculos dos séculos. Amém.

Dirigente	Ó Senhor, ouve nossa oração;
Todos	**E chegue a ti o nosso clamor.**
Dirigente	Oremos.

O dirigente então diz uma ou mais das seguintes coletas. Outras coletas apropriadas também podem ser usadas.

Visita, Senhor, esta morada, e afasta dela as ciladas do inimigo. Habitem aqui os teus santos anjos para nos guardarem em paz. E a tua bênção esteja sempre conosco. Por Jesus Cristo, nosso Senhor. **Amém.**

Ilumina, suplicamos-te, Senhor Deus, as nossas trevas e, misericordioso, defende-nos de todos os perigos e ciladas desta noite; por amor de teu único Filho, nosso Salvador Jesus Cristo. **Amém.**

Sê conosco, bondoso Deus, e protege-nos durante as horas silenciosas da noite; para que nós, que estamos fatigados das incertezas e perigos deste mundo fugaz, descansemos seguros na constância do teu amor eterno. Por Jesus Cristo, nosso Senhor. **Amém.**

Olha, ó Senhor, para nós desde o teu alto trono celestial; ilumina esta noite com teu divino esplendor e afasta dos filhos da luz as obras das trevas. Por Jesus Cristo, nosso Senhor. **Amém.**

Uma coleta para dias de Sábado

Damos-te graças, ó Deus, por nos teres revelado teu Filho Jesus Cristo, através da luz da sua ressurreição: Concede que assim como cantamos tua glória ao fim deste dia, também transbordemos de alegria ao alvorecer do dia de amanhã, enquanto celebramos o mistério pascal; por Jesus Cristo, nosso Senhor. **Amém.**

Então se dirá a seguinte oração

Vela, ó Senhor amado, com os que trabalham, vigiam ou choram nesta noite. Manda que teus anjos guardem os que dormem. Cuida dos enfermos, Cristo Senhor. Dá

repouso aos cansados. Abençoa os que estão à beira da morte. Consola os que sofrem. Compadece-te dos aflitos. Defende os alegres. Tudo isto te suplicamos somente por teu grande amor. Amém.

Pode guardar-se silêncio, e outras intercessões e ações de graças espontâneas podem ser oferecidas.

+ Conclusão

Conclui-se recitando ou cantando o Cântico de Simeão.

Nunc Dimittis
Cântico de Simeão

Antífona: **Salva-nos, Senhor, enquanto acordados, e guarda-nos enquanto dormimos; para que, acordados, vigiemos com Cristo, e, dormindo, repousemos em paz.**

Senhor, agora podes deixar ir em paz o teu servo,*
segundo a tua palavra;
Pois os meus olhos já viram a tua salvação,*
a qual preparaste diante de todos os povos;
Luz para revelação aos gentios,*
e para a glória do teu povo Israel.
Glória ao Pai e ao Filho e ao Espírito Santo.*
Como era, no princípio, agora e sempre, pelos séculos dos séculos. Amém.

Antífona: **Salva-nos, Senhor, enquanto acordados, e guarda-nos enquanto dormimos; para que, acordados, vigiemos com Cristo, e, dormindo, repousemos em paz.**

Durante a estação da Páscoa, se dirá **Aleluia, aleluia, aleluia.**

Dirigente   Bendigamos ao Senhor.
Todos   **Demos graças a Deus.**

Então o dirigente conclui dizendo o seguinte

Que o misericordioso e todo-poderoso Senhor, Pai, Filho e Espírito Santo, nos abençoe e nos guarde, nesta noite e para sempre. **Amém.**

Este livro foi impresso pela Ipsis para a
Thomas Nelson Brasil em parceria com a Pilgrim.
A fonte usada no miolo é Adobe Caslon Pro no corpo 10,5.
O papel é pólen soft 70g/m².